G000229596

GERMAN
Vital Vocab

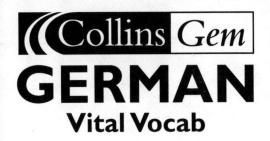

Collins Gem

GERMAN
Vital Vocab

CollinsGem

An Imprint of HarperCollinsPublishers

first edition 2001

© **HarperCollins Publishers 2001**

ISBN 0-00-710203-8

Collins Gem® is a registered trademark of
HarperCollins Publishers Limited

The Collins Gem website address is
www.**collins-gem**.com

The HarperCollins USA website address is
www.harpercollins.com

Veronika Schnorr • Horst Kopleck

*Based on 5000 German Words © 1991
compiled by Barbara I. Christie
and Màiri MacGinn*

A catalogue record for this book is available from the British Library

*Typeset by Davidson Pre-Press, Glasgow
Printed and bound in Italy by Amadeus S.p.A.*

Whether you are revising for school exams or simply want to brush up on your German, Vital Vocab offers you the information you require in a clear and accessible format.

This book is organized in 50 topics, arranged in alphabetical order. The thematic approach enables you to learn related words and phrases together.

Vocabulary within each topic is divided into nouns and example phrases which are aimed at helping you to express yourself in idiomatic German.

Nouns are grouped by gender, which makes it easier to remember if they are masculine, feminine or neuter.

Vocabulary within each topic is graded, so that you can choose what words to learn according to your particular requirements. The group of **Essential words** includes the basics for communication on a given topic, **Important words** help expand your knowledge of the language needed for this topic, and **Useful words** provide additional vocabulary which will enable you to express yourself even better. **Useful phrases** are words and phrases which show you how to use the vocabulary in a variety of contexts.

All plurals have been included in the text with the exception of feminine nouns ending in -in (which regularly become -innen in the plural) and those forms, of whatever gender, which have the same form in both singular and plural.

Nouns derived from adjectives take the form:

Alte(r), -n old man/woman

This indicates that the noun ending depends on the article being used. Thus:

masculine singular	**der Alte**
	ein Alter
masculine plural	**die Alten**
	Alte
feminine singular	**die Alte**
	eine Alte
feminine plural	**die Alten**
	Alte

At the end of the book you will find supplementary vocabulary, grouped according to part of speech – adjective, noun, verb etc. This is vocabulary which you will come across in many everyday situations but is not confined to one particular topic.

Finally, there is an English index which covers all essential and important nouns given under the topic headings.

❒ Abbreviations

acc	accusative	*jdn*	jemanden
adj	adjective	*m*	masculine
adv	adverb	*n*	noun
conj	conjunction	*nt*	neuter
dat	dative	*pl*	plural
etw	etwas	*prep*	preposition
f	feminine	*sb*	somebody
gen	genitive	*sth*	something
jdm	jemandem		

CONTENTS

❏ **Essential words** (m)

der Ausgang, ⸚e	way out, exit
der Ausstieg, -e	exit
der Eingang, ⸚e	entrance
der Fahrgast, ⸚e	passenger
der Fahrkartenschalter	ticket office
der Fahrplan, ⸚e	timetable
der Fallschirm, -e	parachute
die Ferien (pl)	holiday
der Flug, ⸚e	flight
der Fluggast, ⸚e	airline passenger
der Flughafen, ⸚	airport
der Flugplatz, ⸚e	airfield; airport
der Flugpreis, -e	(air) fare
der Flugschein, -e	(plane) ticket
der Gepäckträger	porter
der Geschäftsmann,	
(-leute)	businessman
der Koffer	case, suitcase
der Kofferkuli, -s	luggage trolley
der Nichtraucher	non-smoker
der Notausgang, ⸚e	emergency exit
der Pass, ⸚e	passport
der Passagier, -e	passenger
der Personalausweis, -e	identity card
der Raucher	smoker
Reisende(r), -n	traveller
der Reisepass, ⸚e	passport
der Steward, -s	steward
der Tourist, -en	tourist
der Urlaub	holiday(s)
der Urlauber	holiday-maker
der Zoll	customs; duty
der Zuschlag, ⸚e	extra charge

❒ **Essential words** *(f)*

die Ankunft, ¨e	arrival
die Auskunft, ¨e	information; information desk
die (einfache) Fahrkarte, -n	(single) ticket
die Gepäckausgabe	baggage reclaim
die Luft	air
die Maschine, -n	plane
die Nummer, -n	number
die Reservierung, -en	booking, reservation
die Richtung, -en	direction
die Rückfahrkarte, -n	return (ticket)
die Stewardess, -en	air hostess
die Tasche, -n	bag
die Toilette, -n	toilet
die Touristin	tourist
die Uhr, -en	clock; time
die Urlauberin	holiday-maker

❒ **Essential words** *(nt)*

das Fliegen	flying
das Flugzeug, -e	plane, aeroplane
das Fundbüro, -s	lost property office
das Gepäck	luggage
das Passagierflugzeug, -e	airliner
das Schließfach, ¨er	left luggage locker
das Taxi, -s	taxi
das Ticket, -s	(plane) ticket

Useful phrases

einen Flugschein or **ein Ticket lösen** *to buy a (plane) ticket*
einen Rückflug buchen/bestätigen *to book/confirm a return flight*
hin und zurück nach Köln *a return to Cologne*
ich packe *I pack;* **ich packe aus** *I unpack*
fliegen *to fly;* **wir fliegen ab** *we fly off*
erreichen *to catch;* **verpassen** *to miss*

❒ **Important words** *(m)*

der Abflug, ̈-e	takeoff, departure
der Bord, -e	board
der Dienst, -e	service
der Fahrausweis, -e	ticket
der Fahrschein, -e	ticket
der Hubschrauber	helicopter
der Jumbojet, -s	jumbo jet
der Kontrollturm, ̈-e	control tower
der Pilot, -en	pilot
der Sicherheitsgurt, -e	seat belt
der Start, -s	takeoff
der Terminal, -s	(air) terminal
der Zollbeamte, -n	customs officer

❒ **Important words** *(f)*

die Ausreise, -n	departure *(from country)*
die Bordkarte, -n	boarding card
die Geschwindigkeit, -en	speed
die Landung, -en	landing
die Startbahn, -en	runway
die Verbindung, -en	connection
die Verspätung, -en	delay
die Zollkontrolle	customs control *or* check

❒ **Important words** *(nt)*

das Handgepäck	hand luggage
das Reisebüro, -s	travel agent's
das Reiseziel, -e	destination

Useful phrases

starten *to take off;* **beim Start** *during the takeoff*
an Bord *on board;* **luftkrank** *airsick*
schnallen Sie sich bitte an, „**bitte anschnallen**" *please fasten your seat belts*
wir haben eine Flughöhe von . . . *we are flying at a height of* . . .
landen *to land;* **verspätet** *delayed, late*

❒ **Useful words** *(m)*

der Absturz, ¨e	plane crash
der Anhänger	label, tag
der Aufkleber	sticker, label
der Flügel	wing
der Fluglotse, -n	air traffic controller
der Flugsteig, -e	gate

❒ **Useful words** *(f)*

die Besatzung, -en	crew
die Höhe	height, altitude
die Landebahn, -en	runway
die Luftverkehrsgesellschaft, -en	airline
die Rollbahn, -en	runway
die Rolltreppe, -n	escalator
die Schallmauer	sound barrier
die Turbulenz	turbulence
die Zwischenlandung, -en	stopover

❒ **Useful words** *(nt)*

das Armaturenbrett	instrument panel
das Bodenpersonal	ground staff
das Düsenflugzeug, -e	jet plane

Useful phrases

einen Zuschlag zahlen *to pay a supplement*
zuschlagpflichtig *subject to an extra charge*
gültig *valid*
erhältlich *available*
durch den Zoll gehen *to go through customs*
verzollen *to pay duty on*
haben Sie etwas zu verzollen? *do you have anything to declare?*
nichts zu verzollen *nothing to declare*
zollfrei *duty-free*

❐ **Essential words** *(m)*

der Elefant, -en	elephant
der Fisch, -e	fish
der Hals, ̈-e	neck; throat
der Hund, -e	dog
der Tiergarten, ̈-	zoo, zoological park
der Versuch, -e	experiment
der Zoo, -s	zoo

❐ **Important words** *(m)*

der Affe, -n	monkey
der Bär, -en	bear
der Bock, ̈-e	buck, ram
der Hamster	hamster
der Huf, -e	hoof
der Löwe, -n	lion
der Schwanz, ̈-e	tail
der Tiger	tiger
der Wolf, ̈-e	wolf

❐ **Essential words** *(f)*

die Katze, -n	cat
die Tierhandlung, -en	pet shop

❐ **Important words** *(f)*

die Giraffe, -n	giraffe
die Hundehütte, -n	kennel
die Kuh, ̈-e	cow
die Löwin	lioness
die Maus, Mäuse	mouse
die Ratte, -n	rat
die Schlange, -n	snake
die Tigerin	tigress

Useful phrases

laufen *to run;* hüpfen *to hop*
springen *to jump;* kriechen *to slither, crawl*

❏ **Essential words** *(nt)*

das Bein, -e	leg
das Haar, -e	hair
das Haustier, -e	pet
die Jungen *(pl)*	young
das Ohr, -en	ear
das Tier, -e	animal

❏ **Important words** *(nt)*

das Horn, ⁻er	horn
das Kamel, -e	camel
das Känguru, -s	kangaroo
das Kaninchen	rabbit
das Krokodil, -e	crocodile
das Pferd, -e	horse
das Pony, -s	pony
das Rhinozeros, -se	rhinoceros
das Schaf, -e	sheep
das Schwein, -e	pig
das Zebra, -s	zebra

Useful phrases

wir haben keine Haustiere *we don't have any pets*
zahm *tame;* **wild** *wild;* **gehorsam** *obedient*
füttern *to feed;* **fressen** *to eat*
trinken *to drink*
schlafen *to sleep*
bellen *to bark;* **miauen** *to miaow*
knurren *to growl;* **schnurren** *to purr*
beißen *to bite;* **kratzen** *to scratch*
ich habe Angst vor Hunden *I'm afraid of dogs*

❐ Useful words *(m)*

der Beutel	pouch *(of kangaroo)*
der Bulle, -n	bull
der Eisbär, -en	polar bear
der Esel	donkey
der Frosch, ¨-e	frog
der Fuchs, ¨-e	fox
der Hase, -n	hare
der Hirsch, -e	stag
der Höcker	hump *(of camel)*
der Igel	hedgehog
der Kater	tomcat
der Maulwurf, ¨-e	mole
der Ochse, -n	ox
der Panzer	shell *(of tortoise)*
der Pelz, -e	fur
der Rüssel	snout *(of pig)*; trunk *(of elephant)*
der Seehund, -e	seal
der Stachel, -n	spine *(of hedgehog)*
der Stier, -e	bull
der Stoßzahn, ¨-e	tusk
der Streifen	stripe *(of zebra)*
der Wal(fisch), -e	whale
der Ziegenbock, ¨-e	billy goat

Useful phrases

jagen to hunt; to shoot
zu Pferd on horseback
reiten gehen to go riding
auf die Fuchsjagd gehen to go fox-hunting
„Vorsicht, bissiger Hund" "beware of the dog"
der Hund wedelt mit dem Schwanz the dog wags its tail
die Katze streicheln to stroke the cat

❒ **Useful words** (f)

die Falle, -n	trap
die Fledermaus, (-mäuse)	bat
die Heuschrecke, -n	grasshopper
die Kralle, -n	claw; talon
die Kröte, -n	toad
die Mähne, -n	mane
die Natter, -n	adder
die Pfote, -n	paw (*small*)
die Pranke, -n	paw (*large*)
die Ringelnatter, -n	grass snake
die Robbe, -n	seal
die Schildkröte, -n	tortoise
die Schnauze, -n	snout, muzzle
die Tatze, -n	paw
die Ziege, -n	goat, nanny goat

❒ **Useful words** (nt)

das Eichhörnchen	squirrel
das Fell, -e	coat, fur
das Geweih	antlers (*pl*)
das Hufeisen	horseshoe
das Maul, Mäuler	mouth
das Maultier, -e	mule
das Meerschweinchen	guinea pig
das Merkmal, -e	characteristic
das Nashorn, ¨er	rhinoceros
das Nilpferd, -e	hippopotamus
das Reh, -e	roe deer

Useful phrases

ein Tier freilassen *to set an animal free*
ein Löwe ist aus dem Zoo entlaufen *a lion has escaped from the zoo*
in eine Falle gehen *to be caught in a trap*

❐ Essential + important words (m)

der Gang, ⸚e	gear
der Gepäckträger	luggage carrier
der Motorradfahrer	motorcyclist
der Radfahrer	cyclist
der Rad(fahr)weg, -e	cycle track or path
der Radsport	cycling
der Reifen	tyre
der Sattel, ⸚	saddle, seat

❐ Essential + important words (f)

die Achtung	attention
die Bahn, -en	road, way; (cycle) lane
die Bremse, -n	brake
die Ecke, -n	corner
die Fahrradlampe, -n	cycle lamp
die Gefahr, -en	danger, risk
die Geschwindigkeit, -en	speed
die Hauptstraße, -n	main street, main road
die Kette, -n	chain
die Klingel, -n	bell
die Lampe, -n	lamp
die Nebenstraße, -n	side street
die Pumpe, -n	pump
die Radfahrerin	cyclist
die Reifenpanne, -n	puncture
die Reparatur, -en	repair; repairing

Useful phrases

mit dem (Fahr)rad fahren *to cycle*
mit dem Rad in die Stadt fahren *to cycle into town*
er kam mit dem Rad *he came on his bike, he came by bike*
„Radfahren verboten" *"cycling prohibited"*
Radsport betreiben *to go in for cycling*
aufsteigen *to get on;* absteigen *to get off*
bergauf *uphill;* bergab *downhill*
klingeln *to ring one's bell;* schalten *to change gear*

❒ **Essential words** *(nt)*

das Fahrrad, ⁻er	bicycle
das Hinterrad, ⁻er	back wheel
das Motorrad, ⁻er	motorbike, motorcycle
das Pedal, -e	pedal
das Rad, ⁻er	wheel; bike
das Radfahren	cycling
das Vorderrad, ⁻er	front wheel

❒ **Useful words** *(m)*

der Dynamo, -s	dynamo
der Helm, -e	helmet
der Korb, ⁻e	pannier; basket
der Rückstrahler	reflector

❒ **Useful words** *(f)*

die Lenkstange, -n	handlebars
die Satteltasche, -n	saddlebag, pannier
die Speiche, -n	spoke
die Steigung, -en	gradient
die Straßenverkehrsordnung	the Highway Code

❒ **Useful words** *(nt)*

das Flickzeug, -e	puncture repair kit
das Katzenauge, -n	rear light; reflector; cat's eye
das Moped, -s	moped
das Mountainbike, -s	mountain bike
das Schutzblech, -e	mudguard

Useful phrases

bremsen *to brake;* **reparieren** *to repair*
einen Platten haben *to have a flat tyre*
geplatzt *burst;* **kaputt** *broken, done*
das Loch flicken *to mend the puncture*
die Reifen aufpumpen *to blow up the tyres*
glänzend *shiny;* **rostig** *rusty;* **Leucht-** *fluorescent*

☐ Essential + important words *(m)*

der Flamingo, -s	flamingo
der Hahn, ¨-e	cock
der Himmel	sky
der Käfig, -e	cage
der Kanarienvogel, ¨	canary
der Kuckuck, -e	cuckoo
der Pinguin, -e	penguin
der Schwan, ¨-e	swan
der Storch, ¨-e	stork
der Truthahn, ¨-e	turkey
der Vogel, ¨	bird
der Wellensittich, -e	budgie, budgerigar

☐ Essential + important words *(f)*

die Ente, -n	duck
die Feder, -n	feather
die Gans, ¨-e	goose
die Henne, -n	hen
die Luft	air
die Nachtigall, -en	nightingale

☐ Essential + important words *(nt)*

das Huhn, ¨-er	hen, fowl
das Nest, -er	nest
das Rotkehlchen	robin (redbreast)
das *or* der (Vogel)bauer	birdcage

Useful phrases

fliegen *to fly;* **abfliegen** *to fly away*
ein Nest bauen *to build a nest;* **nisten** *to nest*
Eier legen *to lay eggs*
singen *to sing*
pfeifen *to whistle*
zwitschern *to twitter*
Lärm machen *to make a noise*

❏ Useful words *(m)*

der Adler	eagle
der Eisvogel, ⸚	kingfisher
der Falke, -n	falcon
der Fasan, -e(n)	pheasant
der Fink, -en	finch
der Flügel	wing
der Geier	vulture
der Habicht, -e	hawk
der Hirtenstar, -s	mynah bird
der Papagei, -en	parrot
der Pfau, -en	peacock
der Puter	turkey(-cock)
der Rabe, -n	raven
der Schnabel, ⸚	beak, bill
der Sittich, -e	parakeet
der Spatz, -en	sparrow
der Specht, -e	woodpecker
der Sperling, -e	sparrow
der Star, -e	starling
der Strauß, -e	ostrich
der Zaunkönig, -e	wren

❏ Useful words *(f)*

die Amsel, -n	blackbird
die Blaumeise, -n	bluetit
die Dohle, -n	jackdaw
die Drossel, -n	thrush
die Elster, -n	magpie
die Eule, -n	owl
die Krähe, -n	crow
die Lerche, -n	lark
die Möwe, -n	seagull
die Saatkrähe, -n	rook
die Schwalbe, -n	swallow
die Taube, -n	dove; pigeon

❏ **Essential words** *(m)*

der Arm, -e	arm
der Bauch, Bäuche	stomach
der Finger	finger
der Fuß, ̈-e	foot
der Hals, ̈-e	neck, throat
der Kopf, ̈-e	head
der Magen, - *or* ̈	stomach
der Mund, ̈-er	mouth
der Rücken	back
der Zahn, ̈-e	tooth

❏ **Essential words** *(f)*

die Bewegung, -en	movement, motion
die Hand, ̈-e	hand
die Nase, -n	nose
die Seite, -n	side

❏ **Essential words** *(nt)*

das Auge, -n	eye
das Bein, -e	leg
das Fleisch	flesh
das Gesicht, -er	face
das Haar, e	hair
das Ohr, -en	ear

Useful phrases

ich habe mir den Arm/das Bein gebrochen *I've broken my arm/leg*
mein Arm/Bein tut weh *my arm/leg hurts*
zu Fuß *on foot;* **barfuß gehen** *to go or walk barefoot*
von Kopf bis Fuß *from head to foot, from top to toe*
den Kopf schütteln *to shake one's head*
mit den Kopf nicken *to nod one's head*
jdm die Hand geben *to shake hands with sb*
(mit der Hand) winken *to wave*
auf etwas zeigen *to point to something*

❏ Important words *(m)*

der Atem	breath
der Daumen	thumb
der Körper	body
der Körperteil, -e	part of the body
der Zeigefinger	forefinger, index finger

❏ Important words *(f)*

die Lippe, -n	lip
die Schulter, -n	shoulder
die Stimme, -n	voice
die Zunge, -n	tongue

❏ Important words *(nt)*

das Blut	blood
das Herz, -en	heart
das Knie	knee

Useful phrases

sehen *to see;* hören *to hear*
fühlen *to feel;* riechen *to smell*
tasten *to touch;* schmecken *to taste*
sich die Nase putzen *to blow one's nose*
jdm auf die Schulter klopfen *to tap sb on the shoulder*
sein Herz klopfte *his heart was beating*
die linke/rechte Körperseite *the lefthand/righthand side of the body*
neben mir *at my side*
eine leise/laute Stimme haben *to have a soft/loud voice*
leise/laut sprechen *to speak softly/loudly*
ich lasse mir die Haare schneiden *I'm having my hair cut*
auf den Knien *on one's knees*
stehen *to stand;* sitzen *to sit*
sich legen *to lie down;* knien *to kneel (down)*
bewegen *to move (part of the body)*
sich bewegen *to move*

❐ Useful words *(m)*

der Ell(en)bogen	elbow
der (Fuß)knöchel	ankle
der Hintern	bottom
der Kiefer	jaw
der Knöchel	knuckle; ankle
der Knochen	bone
der Muskel, -n	muscle
der Nacken	nape of the neck
der Nagel, ⸚	nail
der Nerv, -en	nerve
der Schenkel	thigh

❐ Useful words *(nt)*

das (Augen)lid, -er	eyelid
das Blutgefäß, -e	blood vessel
das Fußgelenk, -e	ankle
das Gehirn, -e	brain
das Gelenk, -e	joint
das Genick, -e	nape of the neck
das Glied, -er	limb
das Handgelenk, -e	wrist
das Kinn, -e	chin
die Maße *(pl)*	measurements
das Rückgrat, -e	spine
das Skelett, -e	skeleton

Useful phrases

ich habe mir den Knöchel verstaucht *I've sprained my ankle*
biegen *to bend;* **strecken** *to stretch*
stürzen *to fall;* **verletzen, verwunden** *to injure*
müde *tired*
fit *fit;* **unfit** *unfit*
ich ruhe mich aus *I'm resting* or *having a rest*
taub *deaf;* **blind** *blind;* **stumm** *dumb*
körperbehindert *physically handicapped*
geistig behindert *mentally handicapped*

❏ **Useful words** *(f)*

die Ader, -n	vein
die Arterie, -n	artery
die Augenbraue, -n	eyebrow
die (Augen)wimper, -n	eyelash
die Brust, ⸚e	breast; chest
die Faust, Fäuste	fist
die Ferse, -n	heel
die Figur, -en	figure
die Form, -en	shape, figure
die Fußsohle, -n	sole of the foot
die Gestalt, -en	figure, form, shape
die Geste, -n	gesture
die Haut	skin
die Hüfte, -n	hip
die Kehle, -n	throat
die Leber, -n	liver
die Lunge, -n	lung
die Niere, -n	kidney
die Pupille, -n	pupil *(of eye)*
die Rippe, -n	rib
die Schläfe, -n	temple
die Schlagader, -n	artery
die Stirn, -en	forehead
die Taille, -n	waist
die Wade, -n	calf *(of leg)*
die Wange, -n	neck
die Zehe, -n	toe
die große Zehe, -n -n	big toe

Useful phrases

Brustumfang *(m)* *bust* or *chest measurement*
Hüftweite *(f)* *hip measurement*
Taillenweite *(f)* *waist measurement*

❒ The Seasons

der Frühling	spring
der Sommer	summer
der Herbst	autumn
der Winter	winter

im Frühling/Sommer/Herbst/Winter *in spring/summer/ autumn/winter*

❒ The Months

Januar	January	Juli	July
Februar	February	August	August
März	March	September	September
April	April	Oktober	October
Mai	May	November	November
Juni	June	Dezember	December

im September *etc in September etc*
der erste April *April Fools' Day*
der Erste Mai *May Day*
der fünfte November *(Tag der Pulververschwörung in England)
Guy Fawkes Night*

❒ The Days of the Week

Montag	Monday
Dienstag	Tuesday
Mittwoch	Wednesday
Donnerstag	Thursday
Freitag	Friday
Samstag } Sonnabend }	Saturday
Sonntag	Sunday

Useful phrases

freitags *etc on Fridays etc*
am Freitag *etc on Friday etc*
nächsten/letzten Freitag *etc next/last Friday etc*
am nächsten Freitag *etc the following Friday etc*

❐ The Calendar

Advent (*m*) Advent
der Adventskranz Advent wreath
Allerheiligen (*nt*) All Saints' Day
der Abend vor Allerheiligen Hallowe'en
Allerseelen (*nt*) All Souls' Day
Aschermittwoch (*m*) Ash Wednesday
Dreikönigfest (*nt*) Epiphany, Twelfth Night
Faschingszeit (*f*) the Fasching festival, carnival time
Fastenzeit (*f*) Lent
Fastnacht (*f*) Shrove Tuesday
Heiliger Abend, Heiligabend (*m*) Christmas Eve
Karfreitag (*m*) Good Friday
Neujahr (*nt*) New Year
Neujahrstag (*m*) New Year's Day
Ostern (*nt*) Easter
Ostersonntag (*m*) Easter Sunday
Palmsonntag (*m*) Palm Sunday
Passahfest (*nt*) (Feast of) Passover
Pfingsten (*nt*) Whitsun
Pfingstmontag (*m*) Whit Monday
Silvester, Sylvester (*nt*) New Year's Eve, Hogmanay
Silvesterabend (*m*) New Year's Eve, Hogmanay
Valentinstag (*m*) St Valentine's Day
der Valentinsgruß Valentine card
Weihnachten (*nt*) Christmas
Weihnachtsabend (*m*) Christmas Eve
Weihnachtstag (*m*) Christmas Day
zweiter Weihnachtstag (*m*) Boxing Day
die Weihnachtskarte Christmas card

❨ Useful phrases ❩

zu Weihnachten/Ostern/Pfingsten *at Christmas/Easter/Whitsun*

❏ **Special Events**

die Beerdigung, -en	funeral, burial
die Bescherung, -en	distribution of Christmas presents
der Feiertag, -e	holiday
das Festival, -s	festival
der Festtag, -e	holiday
das Feuerwerk, -e	firework display
der Feuerwerkskörper	firework
der Friedhof, ⁻e	cemetery, graveyard
der Geburtstag, -e	birthday
das Geschenk, -e	present
die Heirat, -en	marriage
der Hochzeitstag, -e	wedding day
die Jahreszeit, -en	season
der Kalender	calendar
das Konfetti	confetti
der Wochentag, -e	weekday
der Tanz, ⁻e or Tanzabend	dance
die Taufe, -n	christening, baptism
der Tod, -e	death
der Werktag, -e	working day
der Zirkus, -se	circus

┌─── **Useful phrases** ───

seinen Geburtstag feiern *to celebrate one's birthday*
der Silvestertanz *New Year's Eve dance*
prosit Neujahr! *happy New Year!*
jdm ein Geschenk machen *to give somebody a present*
ein Feuerwerk abbrennen *to set off fireworks*
ihr dritter Hochzeitstag *their third (wedding) anniversary*
beglückwünschen (zu) *to congratulate (on)*
wünschen *to wish*
(herzlich) willkommen! *you are (very) welcome!*
in Trauer *in mourning*
den Wievielten haben wir heute? *what is today's date?*

❏ Special Events

die Blaskapelle, -n	brass band
das Fest, -e	fête, feast (day)
die Flitterwochen (*pl*)	honeymoon (*time*)
das Folksongfestival	folk music festival
die Geburt, -en	birth
die Hochzeit, -en	wedding
die Hochzeitsreise, -n	honeymoon (*journey*)
der Jahrmarkt, ¨-e	fair
die Kirchweih, -en	fair
die Kirmes, -sen	funfair
die Messe, -n	(commercial) fair
der Namenstag, -e	saint's day
die Party, -s	party
der Ruhestand	retirement
der Rummelplatz, ¨-e	fairground
die Trauung, -en	wedding ceremony
die Verabredung, -en	date (*with sb*)
die Verlobung, -en	engagement
das Volksfest	funfair
die Zeremonie, -n	ceremony

Useful phrases

auf eine or **zu einer Hochzeit gehen** *to go to a wedding*
silberne/goldene/diamantene Hochzeit *silver/golden/ diamond wedding*
in den Ruhestand gehen *to retire, go into retirement*
die Stadt mit Blumen ausschmücken *to decorate the town with flowers*
die ganze Stadt war beflaggt *there were flags out all over town*
gute Vorsätze fassen *to make good resolutions*
beerdigen *to bury*

❐ Essential words (m)

der Camper	camper (*person*)
der Campingplatz, ¨e	camp site
der Löffel	spoon
der Rucksack, ¨e	backpack, rucksack
der Schlafsack, ¨e	sleeping bag
der Teller	plate
der Urlaub	holiday(s)
der Wohnwagen	caravan
der Zuschlag, ¨e	extra charge

❐ Essential words (f)

die Anmeldung, -en	registration
die Camperin	camper (*person*)
die Dusche, -n	shower
die Gabel, -n	fork
die Landkarte, -n	map
die Luft, ¨e	air
die Nacht, ¨e	night
die Sache, -n	thing
die Tasse, -n	cup
die Toilette, -n	toilet
die Übernachtung, -en	overnight stay
die Waschmaschine, -n	washing machine

❐ Essential words (nt)

das Camping	camping
das Essen	food; meal
das Glas, ¨er	glass
das Messer	knife
das (Trink)wasser	(drinking) water
das Zelt, -e	tent

Useful phrases

Camping machen *to go camping*
ein Zelt aufbauen or **aufschlagen** *to pitch a tent*
ein Zelt abbauen *to take down a tent*
„Zelten verboten!" *"no camping"*

❑ **Important + useful words** *(m)*

der Aufenthalt, -e	stay
der Campingkocher	camping stove
der Dosenöffner	tin-opener
der Feuerlöscher	fire extinguisher
der Klappstuhl, ⸚e	folding chair
der Klapptisch, -e	folding table
der Korkenzieher	corkscrew
der Liegestuhl, ⸚e	deck chair
der Mülleimer	dustbin
der Rasierapparat, -e	razor
der Schatten	shade; shadow
der Waschraum, (-räume)	washroom
der Zeltboden, ⸚	ground sheet
der Zimmernachweis, -e	accommodation office

❑ **Important + useful words** *(f)*

die Büchse, -n	tin, can; box
die Luftmatratze, -n	lilo, air bed
die Nachtruhe	lights-out
die Ruhe	peace; rest
die Taschenlampe, -n	torch
die Unterkunft, ⸚e	accommodation
die Veranstaltung, -en	organization
die Wäsche	washing *(things)*
die Wäscherei, -en	laundry *(place)*

❑ **Important + useful words** *(nt)*

das Campinggas	camping gas
das Fahrzeug, -e	vehicle
das Geschirr	dishes, crockery; pots and pans
das Lagerfeuer	campfire
das Streichholz, ⸚er	match
das Waschpulver	washing powder, detergent
das Wohnmobil, -e	camper, motor caravan

❏ **Essential words** (m)

der Arbeiter	worker, labourer
Arbeitslose(r), -n	unemployed man/woman
der Arzt, ⸚e	doctor
der Briefträger	postman
der Chef, -s	boss, head
der Geschäftsmann, (-leute)	businessman
Handlungsreisende(r), -n	travelling salesman/-woman
der Job, -s	(spare time) job
der Koch, ⸚e	cook
der Last(kraft)wagenfahrer; der LKW-Fahrer	lorry driver
der Lehrer	teacher
der Milchmann, ⸚er	milkman
der Polizist, -en	policeman
der Taxifahrer	taxi driver
der Techniker	technician

❏ **Essential words** (f)

die Arbeit, -en	work; job
die Arbeiterin	worker
die Ärztin	doctor
die Bank, -en	bank
die Bezahlung, -en	payment
die Chefin	boss
die Empfangsdame, -n	receptionist
die Geschäftsfrau, -en	businesswoman
die Fabrik, -en	factory
die Geschäftsreise, -n	business trip
die Industrie, -n	industry
die Köchin	cook
die Krankenschwester, -n	nurse
die Lehrerin	teacher
die Polizistin	policewoman
die Stewardess, -en	air hostess

❐ Essential words *(nt)*

das Büro, -s	office
das Geschäft, -e	business, trade; shop

Useful phrases

arbeiten *to work;* **bei X arbeiten** *to work at X's*
interessant *interesting;* **langweilig** *boring*
mit der Arbeit anfangen, zu arbeiten beginnen *to start work, get down to work*
berufstätig sein *to be employed*
arbeitslos sein *to be out of work, be unemployed*
arbeitslos werden *to be made redundant*
Arbeitslosengeld beziehen *to be on the dole*
seine Stelle verlieren *to lose one's job*
entlassen *to dismiss*
entlassen werden *to be sacked, get the sack*
jobben *to do odd jobs*
eine Stelle suchen *to look for a job*
„Stellenangebote" *"situations vacant"*
fest *permanent;* **vorübergehend** *temporary*
ganztags *full-time;* **halbtags** *part-time*
sich um eine Stelle bewerben *to apply for a job*
eine Stelle antreten *to start a new job*
verdienen *to earn*
500 Pfund in der Woche verdienen *to earn £500 per week*
sparen für *(+ acc) to save up for*
was sind Sie von Beruf? *what is your job?*
ich bin Elektriker (von Beruf) *I am an electrician (to trade)*
ehrgeizig *ambitious*
selbstständig *self-employed*
ich möchte Sekretärin werden *I'd like to be a secretary*
sein eigenes Geschäft haben *to have one's own shop*
eine Geschäftsreise machen *to go away on business*
streiken *to strike, be on strike*

❒ **Important words** *(m)*

Angestellte(r), -n	employee
der Ansager	announcer
der Apotheker	chemist
der Arbeitgeber	employer
der Arbeitslohn, ¨-e	wages, pay
der Arbeitnehmer	employee
der Architekt, -en	architect
der Astronaut, -en	astronaut
Beamte(r), -n	official
der Beruf, -e	profession, occupation
der Betrieb, -e	firm, concern
der Bibliothekar, -e	librarian
der Boss, -e	boss
Büroangestellte(r), -n	office worker, clerk
der Elektriker	electrician
der Feuerwehrmann, (-männer)	fireman
der Fotograf, -en	photographer
der Friseur, -e	hairdresser
der Gastarbeiter	foreign (guest) worker
der Geschäftsführer	executive; manager
der Informatiker	computer scientist
der Ingenieur, -e	engineer
der Journalist, -en	journalist
der Lehrling, -e	apprentice, trainee
der Lohn, ¨-e	wages, pay
der Maler	painter
der Mechaniker	mechanic
der Pilot, -en	pilot
der Politiker	politician
der Präsident, -en	president
der Premierminister	prime minister, premier
der Priester	priest
der Reporter	reporter
der Sekretär, -e	secretary
der Staatsbeamte, -n	civil servant
der Star, -s	star
der Tierarzt, ¨-e	veterinary surgeon, vet
der Verkäufer	salesman, shop assistant

❒ Important words (f)

die Ansagerin	announcer
die Arbeitnehmerin	employee
die Architektin	architect
die Astronautin	astronaut
die Beamtin	official
die Berufsberatung	careers or vocational guidance
die Bewerbung	application
die Bibliothekarin	librarian
die Firma, Firmen	firm, company
die Friseuse, -n	hairdresser
die Geschäftsführerin	executive; manageress
die Gesellschaft, -en	company
die Informatikerin	computer scientist
die Journalistin	journalist
die Lehrzeit, -en	apprenticeship
die Politikerin	politician
die Putzfrau, -en	cleaner, cleaning woman
die Sekretärin	secretary
die Staatsbeamtin	civil servant
die Stelle, -n	job, post
die Tagesmutter, ∹	child minder
die Tierärztin	veterinary surgeon, vet
die Verkäuferin	salesgirl, shop assistant
die Zukunft	future

❒ Important words (nt)

das Einkommen	income
das Gehalt, ∹er	salary
das Handwerk, -e	trade; craft
das Interview, -s	interview
das Kindermädchen	nanny
das Leben	life
das Mannequin, -s	model
das Ministerium, -ien	(government) ministry

❏ Useful words *(m)*

Abgeordnete(r), -n	M.P., member of parliament
der Autor, -en	author
der Bauunternehmer	builder, building contractor
der Bergarbeiter	miner
der Betriebsleiter	managing director
der Chirurg, -en	surgeon
der Dichter	poet
der Dolmetscher	interpreter
der Fachmann, (-leute)	specialist, expert
der Forscher	researcher
der Gewerkschaftler	trade unionist
der Handel	commerce
der Hausmeister	caretaker; janitor
der Kameramann, (-männer)	cameraman
der Klempner	plumber
der König, -e	king
der Künstler	artist
der Leiter	leader, manager
der Matrose, -n	sailor
der Ministerpräsident, -en	prime minister, premier
der Modeschöpfer	fashion designer
der Mönch, -e	monk
der Pfarrer	minister, clergyman
der Produzent, -en	manufacturer; (film) producer
der Rechtsanwalt, ‥e	lawyer, solicitor
der Schneider	tailor
der Schriftsteller	writer
der Soldat, -en	soldier
der Steinmetz, -en	stonemason
der Tischler	joiner, carpenter
der Verleger	publisher
der Vertreter	representative, rep
Vorsitzende(r), -n	chairman/-woman
der Winzer	wine grower, vineyard owner
der Wirtschaftsprüfer	chartered accountant
der Wissenschaftler	scientist

❏ Useful words *(f)*

die Absicht, -en	intention, aim
die Ausbildung	training, education
die Autorin	author
die Chirurgin	surgeon
die Dichterin	poet
die Dolmetscherin	interpreter
die Fachfrau, -en	specialist, expert
die Forscherin	researcher
die Gewerkschaft, -en	trade union
die Kamerafrau, -en	camerawoman
die Königin	queen
die Künstlerin	artist
die Laufbahn, -en	career
die Leiterin	leader, manager
die Lohnerhöhung, -en	wage increase
die Modeschöpferin	fashion designer
die Nonne, -n	nun
die Platzanweiserin	usherette
die Rechtsanwältin	lawyer, solicitor
die Schneiderin	dressmaker
die Schriftstellerin	writer
die Soldatin	soldier
die Sprechstundenhilfe, -n	(medical) receptionist
die Stenotypistin	shorthand typist
die Verwaltung, -en	administration
die Wissenschaftlerin	scientist

❒ **Essential words** *(m)*

der (Auto)fahrer	motorist, driver
der Diesel	diesel (oil)
der Führerschein, -e	driving licence
der Kilometer	kilometre
der Koffer	suitcase
der Lastkraftwagen (LKW)	lorry, truck
der Lastwagenfahrer	lorry driver
der Liter	litre
der Parkplatz, ⸚e	parking space; car park
der Passagier, -e	passenger
der Personenkraftwagen (PKW)	private car
der Polizist, -en	policeman
der Rasthof, ⸚e	service station
der Rastplatz, ⸚e	lay-by
der Reifen	tyre
der Reifendruck	tyre pressure
der (Sport)wagen	(sports) car
der Weg, -e	road, way
der Wohnwagen	caravan

❒ **Essential words** *(nt)*

das Auto, -s	car
das Benzin, -e	petrol
das Dieselöl	diesel (oil)
das Gepäck	luggage
das Mietauto, -s	hired car
das Normalbenzin	2-star (petrol)
das Öl, -e	oil
das Parkhaus, (-häuser)	(covered) multistorey car park
das Parken	parking
das Rad, ⸚er	wheel
das Selbsttanken	self-service petrol
das Straßenschild, -er	road sign
das Super	4-star (petrol)
das Wasser	water

❒ Essential words (f)

die Achtung	attention
die Ampel, -n	traffic lights
die Ausfahrt, -en	exit; drive; slip road
die Autobahn, -en	motorway
die (Auto)fahrerin	motorist, driver
die Bahn, -en	road, way; lane
die Batterie, -n	battery
die Ecke, -n	corner
die Einbahnstraße, -n	one-way street
die Fahrt, -en	journey; trip; drive
die Garage, -n	garage
die Hauptstraße, -n	main road, main street
die grüne Versicherungs- karte, -n, -n	green card
die Landkarte, -n	map
die Maschine, -n	engine
die Meile, -n	mile
die Polizei	police
die Polizistin	policewoman
die Raststätte, -n	service area
die Reise, -n	journey
die Reparatur, -en	repair; repairing
die (Reparatur)werkstatt, ¨en	garage, workshop
die Richtung, -en	direction
die Selbstbedienung (SB)	self-service
die Straße, -n	street, road
die Straßenkarte, -n	road map, plan
die Straßenverkehrsordnung	Highway Code
die Tankstelle, -n	petrol station, filling station, service station
die Umleitung, -en	diversion
die Verkehrsampel, -n	traffic lights
die Vorfahrt	right of way
die Vorsicht	caution, care
die Warnung, -en	warning
die Werkstatt, ¨en	garage, workshop

❏ **Important words** *(m)*

der Abstand, ̈e	distance
der Blinker	indicator
der Chauffeur, -e	chauffeur
der Dachgepäckträger	roof rack
der Fahrlehrer	driving instructor
der Fahrschüler	learner driver
der Fußgänger	pedestrian
der Gang, ̈e	gear
der Kofferraum, (-räume)	boot
der Mechaniker	mechanic; engineer
der Motorschaden, (-schäden)	engine trouble
der Parkschein, -e	parking permit
der Rückspiegel	rear-view *or* driving mirror
der Scheinwerfer	headlight, headlamp
der Sicherheitsgurt, -e	seat belt
der Stau, -e	(traffic) jam
der Tod, -e	death
der Tramper	hitch-hiker
der Umweg, -e	detour
der Unfall, ̈e	accident
der Verkehr	traffic
der Verkehrspolizist, -en	traffic warden
der Verkehrsunfall, ̈e	road accident
Verletzte(r), -n	casualty
der Zusammenstoß, ̈e	collision, crash

❏ **Important words** *(nt)*

das Autobahndreieck, -e	motorway junction
das Autobahnkreuz, -e	motorway intersection
das Fahrzeug, -e	vehicle
das Firmenauto, -s	company car
das Parkverbot, -e	parking ban
das Reserverad, ̈er	spare wheel
das Trampen	hitch-hiking
das Wohngebiet, -e	built-up area

❏ **Important words** (f)

die Autoschlange, -n	line of cars
die Autowäsche, -n	car wash
die Bremse, -n	brake
die Fahrlehrerin	driving instructress
die Fahrprüfung, -en	driving test
die Fahrschule, -n	driving school
die Fahrschülerin	learner driver
die Fahrstunde, -n	driving lesson
die Gebühr, -en	toll
die Gefahr, -en	danger, risk
die Geldstrafe, -n	fine
die Geschwindigkeit, -en	speed
die Grenze, -n	border, frontier
die Hauptverkehrszeit, -en	rush hour
die Kreuzung, -en	crossroads
die Kurve, -n	bend, corner
die Notbremsung, -en	emergency stop
die Panne, -n	breakdown
die Parkuhr, -en	parking meter
die Querstraße, -n	junction, intersection
die Reifenpanne, -n	puncture
die (Reise)route, -n	route, itinerary
die Ringstraße, -n	ring road
die Tiefgarage, -n	underground garage
die Verkehrspolizistin	(female) traffic warden
die Versicherung, -en	insurance
die Windschutzscheibe, -n	windscreen

Useful phrases

fahren to drive; **abfahren** to leave, set off
einsteigen to get in; **aussteigen** to get out
sich anschnallen to put on one's seat belt
(voll) tanken to fill up (with petrol)
reisen to travel
hinten in the back; **vorn(e)** in the front

❐ Useful words (m)

der Abschleppdienst	breakdown service
der Abschleppwagen	breakdown van
der Anhänger	trailer
der Anlasser	starter
der Durchgangsverkehr	through traffic
der Fußgängerüberweg, -e	pedestrian crossing
der Katalysator, -en	catalytic converter
der Kreisverkehr, -e	roundabout
der Leerlauf	neutral (gear)
der Scheibenwischer	windscreen wiper
der Strafzettel	(parking) ticket
der Tachometer	speedometer
der Verkehrsrowdy, -s	road hog
der Wagenheber	jack

❐ Useful words (nt)

das Armaturenbrett, -er	dashboard
das Ersatzreifen	spare tyre
das Ersatzteil, -e	spare part
das Getriebe	gearbox
das Kat-Auto, -s	car with a catalytic converter
das polizeiliche Kennzeichen	registration number
das Lenkrad, ¨er	steering wheel
das Nummernschild, -er	number plate
das Steuerrad, ¨er	steering wheel
das Verdeck, -e	hood
das Verkehrsdelikt, e	traffic offence
das Warndreieck, -e	warning triangle

Useful phrases

gute Reise! *have a good trip!*
bremsen *to brake;* **schalten** *to change gear*
hupen *to sound or toot the horn*
überholen *to overtake;* **sich einordnen** *to get into lane*
abbiegen *to turn off;* **halten** *to stop*
abstellen *to park, to switch off;* **abschleppen** *to tow away*
parken *to park;* **abschließen** *to lock;* **ankommen** *to arrive*

❏ Useful words (f)

die Abzweigung, -en	junction
die Auffahrt, -en	slip road
die Autovermietung, -en	car hire
die Beleuchtung, -en	lights (pl)
die Biegung, -en	bend, curve
die Gasse, -n	alley, lane, back street
die Geschwindigkeits-begrenzung, -en	speed limit, speed restriction
die Hupe, -n	horn, hooter
die Karosserie, -n	bodywork, body
die Kupplung, -en	clutch
die Marke, -n	make (of car)
die (Motor)haube, -n	bonnet
die Politesse, -n	(female) traffic warden
die Stoßstange, -n	bumper
die (Versicherungs)police, -n	insurance policy

Useful phrases

schnell *fast*; langsam *slowly*
gefährlich *dangerous*; kaputt *broken, done*
sperren *to block*; prüfen *to check*
Abstand halten *to keep one's distance*
in ein Auto fahren *to bump into a car*
das Auto reparieren lassen *to have the car repaired*
100 Kilometer in der Stunde machen *to do 100 kilometres an hour*
beschleunigen, Gas geben *to accelerate*
die Ampel überfahren *to go through the lights at red*
mir ist das Benzin ausgegangen *I've run out of petrol*
verbleit *leaded*; unverbleit, bleifrei *unleaded*
sich verfahren *to get lost, take the wrong road*
sich zurechtfinden *to find one's way*
trampen, per Anhalter fahren *to hitch-hike*
„Anlieger frei" *"residents only"*
„Parken verboten" *"no parking"*; „freihalten" *keep clear*
„Vorfahrt achten" *"give way"*

☐ **Essential words** (m)

der Anorak, -s	anorak
der Badeanzug, ¨e	swimming or bathing costume
der Gürtel	belt
der Handschuh, -e	glove
der Kleiderschrank, ¨e	wardrobe
der Knopf, ¨e	button
der Mantel, ¨	coat, overcoat
der Pullover; der Pulli, -s	pullover, jumper, jersey
der Pyjama, -s	(pair of) pyjamas
der Regenmantel, ¨	raincoat
der Rock, ¨e	skirt
der Schlips, -e	tie
der Schuh, -e	shoe
der (Spazier)stock, ¨e	walking stick
der Umkleideraum, (-räume)	changing room

Useful phrases

ich ziehe mich an *I get dressed, I put on my clothes*
ich ziehe mich aus *I get undressed, I take off my clothes*
ich ziehe mich um *I get changed, I change my clothes*
tragen *to wear*
Hosen/einen Mantel tragen *to wear trousers/a coat*
seine Schuhe/seinen Mantel anziehen *to put on one's shoes/coat*
seine Schuhe/seinen Mantel ausziehen *to take off one's shoes/coat*
einen Hut tragen *to wear a hat*
sich (*dat*) **den Hut aufsetzen** *to put on one's hat*
den Hut abnehmen *to take off one's hat*
darf ich dieses Kleid anprobieren? *may I try on this dress?*
das steht Ihnen (**gut**) *that suits you*
passen *to fit;* **groß** *big;* **klein** *small*
das passt mir nicht *that doesn't fit me;* **passend** *matching*
waschen *to wash;* **bügeln** *to iron*
chemisch reinigen *to dryclean*

❏ Essential words *(f)*

die Badehose, -n	swimming *or* bathing trunks
die Bluse, -n	blouse
die Brille, -n	(pair of) glasses
die Größe, -n	size
die Handtasche, -n	handbag
die Hose, -n	(pair of) trousers
die Jacke, -n	jacket
die Jeans *(pl)*	jeans
die Kleidung	clothing
die Krawatte, -n	tie
die Lederhose, -n	(pair of) leather shorts *or* trousers
die Mode, -n	fashion
die Sandale, -n	sandal
die Socke, -n	sock
die Tasche, -n	pocket; bag

❏ Essential words *(nt)*

das Abendkleid, -er	evening dress *(woman's)*
das Band, ⸚er	ribbon
das Hemd, -en	shirt
das Kleid, -er	dress
die Kleider *(pl)*	clothes, clothing
das Nachthemd, -en	nightdress; nightshirt
das Taschentuch, ⸚er	handkerchief
das T-Shirt, -s	T-shirt, tee-shirt

> **Useful phrases**
>
> **bunt** *coloured;* **kariert** *checked;* **gestreift** *striped*
> **in Mode** *in fashion*
> **modisch** *fashionable;* **unmodisch** *out of fashion*
> **altmodisch** *old-fashioned;* **sehr schick** *very smart*
> **Brustumfang** *(m) bust* or *chest measurement*
> **Hüftweite** *(f) hip measurement*
> **Kragenweite** *(f) collar size;* **Schuhgröße** *(f) shoe size*
> **Taillenweite** *(f) waist measurement*

❒ **Important words** *(m)*

der Anzug, ¨e	suit
der BH, -s (Büstenhalter)	bra
der Hausschuh, -e	slipper
der Hut, ¨e	hat
der Overall, -s	(set of) overalls
der Regenschirm, -e	umbrella
der Schal, -e *or* -s	scarf
der Schlafanzug, ¨e	(pair of) pyjamas
der Stiefel	boot
der Strumpf, ¨e	stocking, (long) sock
der Trainingsanzug, ¨e	tracksuit
die Turnschuhe *(pl)*	trainers, training shoes
der Unterrock, ¨e	underskirt, petticoat

❒ **Important words** *(f)*

die Fliege, -n	bow tie
die Freizeitkleidung	casual clothes
die Herrenkonfektion	menswear
die Modenschau, -en	fashion show
die Mütze, -n	cap
die Schultertasche, -n	shoulder bag
die Strumpfhose, -n	(pair of) tights
die Uniform, -en	uniform
die Unterhose, -n	(under)pants *(pl)*
die Unterwäsche	underwear
die Wäsche, -n	washing; (under)clothes

❒ **Important words** *(nt)*

die Bermudashorts *(pl)*	Bermuda shorts
das Blouson, -s	bomber jacket
das Jackett, -s *or* -e	jacket
das Kostüm, -e	(lady's) suit
die Shorts *(pl)*	shorts
das Sweatshirt, -s	sweatshirt
das Unterhemd, -en	vest

❏ Useful words *(m)*

der Ärmel	sleeve
der Gesellschaftsanzug, ¨-e	evening dress *(man's)*
der Hosenanzug, ¨-e	trouser suit
der Hosenrock, ¨-e	culottes
der Hosenträger	braces *(pl)*
der Kragen	collar
die Lumpen *(pl)*	rags
der Morgenrock, ¨-e	dressing gown
der Reißverschluss, ¨-e	zip
der Rollkragen	polo neck
der Schnürsenkel	shoelace
der Smoking, -s	dinner jacket

❏ Useful words *(f)*

die Falte, -n	pleat
die Kappe, -n	cap, hood
die Kragenweite, -n	collar size
die Latzhose, -n	dungarees
die Markenkleidung	branded clothes *(pl)*
die Melone, -n	bowler hat
die Schürze, -n	apron
die Strickjacke, -n	cardigan
die Taille, -n	waist
die Tracht, -en	costume, dress
die Weste, -n	waistcoat
die Wolljacke, -n	cardigan

❏ Useful words *(nt)*

das Hochzeitskleid, -er	wedding dress
das Kopftuch, ¨-er	headscarf, headsquare
das Zubehör	accessories *(pl)*

Useful phrases

sich verkleiden *to disguise oneself;* **maskiert** *masked*
maßgeschneidert *made to measure*
von der Stange *off the peg*

beige	beige, fawn
blau	blue
braun	brown
gelb	yellow
golden	golden
grau	grey
grün	green
lila	purple
orange	orange
pink	shocking pink
rehbraun	fawn
rosa	pink
rot	red
schwarz	black
silbern	silver
veilchenblau	violet
violett	violet, purple
weiß	white
dunkelblau	dark blue
hellblau	light blue, pale blue
bläulich	bluish
himmelblau	sky blue
königsblau	royal blue
marineblau	navy blue

Useful phrases

das Blau steht ihr *blue suits her*
etwas blau anstreichen *to paint something blue*

die Farbe wechseln *to change colour*
bunte/dunkle Farben *bright/dark colours*
das Farbfernsehen *colour television*

❑ Some colourful phrases

was für eine Farbe hat es? *what colour is it?*
blau vor Kälte *blue with cold*
eine Fahrt ins Blaue *a mystery tour*
ein blaues Auge *a black eye*
sie hat blaue Augen *she has blue eyes*
braun werden *to go or turn brown (people, leaves)*
gelb vor Neid *green with envy*
grün und blau *black and blue*
die grüne Versicherungskarte *green card (for motor insurance)*
die Grünen *the Green party*
Rotkäppchen *Little Red Riding Hood*
in den roten Zahlen *in the red, in debt*
in den schwarzen Zahlen *in the black*
ein Schwarzer *a black man*
eine Schwarze *a black woman*
ein schwarzes Brett *a notice board*
ein Weißer *a white man*
eine Weiße *a white woman*
das Weiße Haus *the White House*
schneeweiß *as white as snow*
leichenblass *as white as a sheet*

COMPUTERS 50

❏ Essential + important words *(m)*

der Bildschirm, -e	monitor, screen
der Computer	computer
der Cursor	cursor
der Drucker	printer
der PC, -s *or*	PC, personal computer
der Personalcomputer	
der Programmierer	(computer) programmer
der Speicher	memory
der Virus, Viren	virus

❏ Essential + important words *(f)*

die CD-ROM, -s	CD ROM
die Datei, -en	file
die Diskette, -n	disk; floppy disk
die E-Mail, -s	e-mail
die Festplatte, -n	hard disk
die Hardware	hardware
die Maus, Mäuse	mouse
die Software	software
die Tastatur, -en	keyboard
die Taste, -n	key

❏ Essential + important words *(nt)*

das Betriebssystem, -e	operating system
die Daten *(pl)*	data
das Fenster	window
das Gigabyte, -s	gigabyte
das Internet	Internet
das Kilobyte, -s	kilobyte
das Laufwerk, -e	drive
das Megabyte, -s	megabyte
das Menü, -s	menu
das Modem, -s	modem
das Programm, -e	program

❏ Useful words *(m)*

der Ausdruck, -e	printout
der Backslash, -e	backslash
der Browser	browser
der Buchstabe, -n	letter *(of alphabet)*
der Chip, -s	chip
der Hacker	hacker
der Heimcomputer	home computer
der Informatiker	computer scientist
der Joystick, -s	joystick
der Laserdrucker	laser printer
der Monitor, -e	monitor
der Ordner	folder
der Programmierer	(computer) programmer
der Provider	provider
der Rechner	computer; calculator
der Schrägstrich, -e	slash
der Seitenwechsel	page break
der Server	server
der Tintenstrahldrucker	ink-jet (printer)
der Zeilenabstand, ⸚e	line spacing

❏ Useful words *(f)*

die Batterie, -n	battery
die Datenbank, -en	database
die Eingabetaste, -n	enter key
die E-Mail-Adresse, -n	e-mail address
die Funktion, -en	function
die Hilfefunktion, -en	help function
die Homepage, -s	homepage

Useful phrases

spielen to play; **sich amüsieren** to have fun
ein Programm schreiben to write a program
den Computer programmieren to program the computer
den Cursor bewegen to move the cursor; **klicken** to click
bearbeiten to edit; **einfügen** to insert; to paste
formatieren to format; **kopieren** to copy; **löschen** to delete

❒ Useful words *(f) (cont)*

die Informatik	computer science, computing
die Leertaste, -n	space bar
die Rechtschreibprüfung, -en	spellchecker
die Schaltfläche, -n	button
die Schnittstelle, -n	interface
die Schriftart, -en	font
die Sicherungskopie, -n	back-up (copy)
die Suchmaschine, -n	search engine
die Tabellenkalkulation, -en	spreadsheet (program)
die Textverarbeitung, -en	word processor
die Webadresse, -n	Web address
die Webseite, -n	Web page

❒ Useful words *(nt)*

das Bandlaufwerk, -e	tape drive
das Bildschirmgerät, -e *or* Datensichtgerät, -e	VDU, visual display unit
das Computerspiel, -e	computer game
das Diskettenlaufwerk, -e	disk drive
das Dokument, -e	document
das Interface, -s	interface
das Notebook, -s	notebook (computer)
das Programmieren	(computer) programming
das RAM	RAM (random access memory)
das ROM	ROM (read only memory)
das Symbol, -e	icon
das Virensuchprogramm, -e	virus checker
das Zeichen	character

Useful phrases

die Daten speichern *to store the data*
die Daten sichern *to save the data*
im Internet surfen *to surf the Internet*
ausdrucken *to print out;* **mailen** *to e-mail*
elektronisch *electronic;* **fett** *bold;* **kursiv** *italic*
linksbündig *left adjusted;* **mager** *roman*
rechtsbündig *right adjusted;* **tragbar** *portable*

❏ Countries

All countries are neuter unless marked otherwise. Where an article is shown, the noun is used with the article.

Afrika	Africa
Asien	Asia
Australien	Australia
Belgien	Belgium
Brasilien	Brazil
Bulgarien	Bulgaria
die Bundesrepublik Deutschland (BRD)	Germany
China	China
Dänemark	Denmark
Deutschland	Germany
England	England
Europa	Europe
die Europäische Union (EU)	the European Union (EU)
Finnland	Finland
Frankreich	France
Großbritannien	Great Britain
Griechenland	Greece
Holland	Holland
Indien	India
der Irak	Iraq
der Iran	Iran
Irland	Ireland
Italien	Italy
Japan	Japan
Kanada	Canada
Korea	Korea
Luxemburg	Luxembourg
Mexiko	Mexico
Neuseeland	New Zealand
die Niederlande (pl)	the Netherlands

❏ Countries *(cont)*

Nordirland	Northern Ireland
Norwegen	Norway
Österreich	Austria
Pakistan	Pakistan
Polen	Poland
Portugal	Portugal
Rumänien	Romania
Russland	Russia
Saudi-Arabien	Saudi Arabia
Schottland	Scotland
Schweden	Sweden
die Schweiz	Switzerland
Skandinavien	Scandinavia
Spanien	Spain
Südafrika	South Africa
Südamerika	South America
die Tschechische Republik	Czech Republic
die Türkei	Turkey
Ungarn	Hungary
das Vereinigte Königreich	the United Kingdom
die Vereinigten Staaten	the United States
(mpl) **(von Amerika)**	(of America)
Vietnam	Vietnam
Wales	Wales

Useful phrases

in die Niederlande/in die Schweiz fahren *to go to the Netherlands/to Switzerland*
nach Deutschland fahren *to go to Germany*
ein Land, *(pl)* **Länder** *country*
die Entwicklungsländer *(pl) developing countries*
ins Ausland fahren or **gehen** *to go or travel abroad*
im Ausland sein *to be abroad*
ein Ausländer, eine Ausländerin *a foreigner*
die Hauptstadt *capital*
ich bin in Deutschland geboren *I was born in Germany*

❏ Nationalities *(m)*

ein Afrikaner	an African
ein Amerikaner	an American
ein Araber	an Arab
ein Asiat, -en	an Asian
ein Australier	an Australian
ein Belgier	a Belgian
ein Brasilianer	a Brazilian
ein Brite, -n	a Briton *(pl* the British)
ein Chinese, -n	a Chinese
ein Däne, -n	a Dane
ein Deutscher, -n	a German
ein Engländer	an Englishman
ein Europäer	a European
ein Finne, -n	a Finn
ein Franzose, -n	a Frenchman
ein Grieche, -n	a Greek
ein Holländer	a Dutchman
ein Inder	an Indian
ein Iraker	an Iraqi
ein Iraner	an Iranian
ein Ire	an Irishman
ein Italiener	an Italian
ein Japaner	a Japanese
ein Kanadier	a Canadian
ein Luxemburger	a native of Luxemburg
ein Mexikaner	a Mexican
ein Neuseeländer	a New Zealander
ein Niederländer	a Dutchman
ein Norweger	a Norwegian
ein Österreicher	an Austrian
ein Pole, -n	a Pole
ein Portugiese, -n	a Portuguese

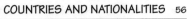

❑ Nationalities *(m) (cont)*

ein Rumäne, -n	a Romanian
ein Russe, -n	a Russian
ein Schotte, -n	a Scotsman, a Scot
ein Schwede, -n	a Swede
ein Schweizer	a Swiss
ein Spanier	a Spaniard
ein Türke, -n	a Turk
ein Ungar, -n	a Hungarian
ein Vietnamese, -n	a Vietnamese
ein Waliser	a Welshman

The forms given above and on the following two pages are the noun forms. The corresponding adjectives begin with a small letter and end in **-isch**.
Most can be formed by changing **-er(in)** or **-ier(in)** to **-isch**.
The main exceptions are as follows: **deutsch** *(German)*, **englisch** *(English)*, **französisch** *(French)*, **schweizerisch** *(Swiss)*.

❑ Nationalities *(f)*

eine Afrikanerin	an African (girl *or* woman)
eine Amerikanerin	an American (girl *or* woman)
eine Araberin	an Arabian (girl *or* woman)
eine Asiatin	an Asian (girl *or* woman)
eine Australierin	an Australian (girl *or* woman)
eine Belgierin	a Belgian (girl *or* woman)
eine Brasilianerin	a Brazilian (girl *or* woman)
eine Britin	a Briton, a British girl *or* woman
eine Chinesin	a Chinese (girl *or* woman)
eine Dänin	a Dane, a Danish girl *or* woman
eine Deutsche	a German (girl *or* woman)
eine Engländerin	an Englishwoman, an English girl
eine Europäerin	a European (girl *or* woman)
eine Finnin	a Finn, a Finnish girl *or* woman

❐ **Nationalities** *(f) (cont)*

eine Französin	a Frenchwoman, a French girl
eine Griechin	a Greek, a Greek girl *or* woman
eine Holländerin	a Dutchwoman, a Dutch girl
eine Inderin	an Indian (girl *or* woman)
eine Irakerin	an Iraqi (girl *or* woman)
eine Iranerin	an Iranian (girl *or* woman)
eine Irin	an Irishwoman, an Irish girl
eine Italienerin	an Italian (girl *or* woman)
eine Japanerin	a Japanese (girl *or* woman)
eine Kanadierin	a Canadian (girl *or* woman)
eine Luxemburgerin	a native of Luxemburg
eine Mexikanerin	a Mexican (girl *or* woman)
eine Neuseeländerin	a New Zealander, a New Zealand girl *or* woman
eine Niederländerin	a Dutchwoman, a Dutch girl
eine Norwegerin	a Norwegian (girl *or* woman)
eine Österreicherin	an Austrian (girl *or* woman)
eine Polin	a Pole, a Polish girl *or* woman
eine Portugiesin	a Portuguese (girl *or* woman)
eine Rumänin	a Rumanian (girl *or* woman)
eine Russin	a Russian (girl *or* woman)
eine Schottin	a Scotswoman, a Scots girl
eine Schwedin	a Swede, a Swedish girl *or* woman
eine Schweizerin	a Swiss girl *or* woman
eine Spanierin	a Spaniard, a Spanish girl *or* woman
eine Türkin	a Turkish girl *or* woman
eine Ungarin	a Hungarian (girl *or* woman)
eine Vietnamesin	a Vietnamese (girl *or* woman)
eine Waliserin	a Welshwoman, a Welsh girl

Useful phrases

die Staatsangehörigkeit *nationality*
die Religion *religion*
die Muttersprache *native language*

❐ **Essential words** *(m)*

der Bauernhof, ∺e	farmyard, farm
der Baum, Bäume	tree
der Berg, -e	mountain, hill
der Fluss, ∺e	river
der Gasthof, ∺e	inn
der Grund	ground
der Hügel	hill
der Lärm	noise
der Markt, ∺e	market
der See, -n	lake
der Stein, -e	stone, rock
der Stock, ∺e	cane, stick
der Turm, ∺e	tower; (church) steeple
der Wald, ∺er	wood, forest

❐ **Essential words** *(nt)*

das Dorf, ∺er	village
das Feld, -er	field
das Gasthaus, (-häuser)	inn
das Land, ∺er	land; country
das Picknick, -e *or* -s	picnic
das Schloss, ∺er	castle
das Tal, ∺er	valley
das Wirtshaus, (-häuser)	inn

Useful phrases

aufs Land gehen *to go into the country*
auf dem Lande wohnen *to live in the country*
auf dem Bauernhof *on the farm*
ein Picknick machen *to go for a picnic*
im Freien *in the open air*

❏ Essential words *(f)*

die Blume, -n	flower
die Brücke, -n	bridge
die Burg, -en	castle
die Höhle, -n	cave, hole
die Jugendherberge, -n	youth hostel
die Kirche, -n	church
die Landschaft, -en	countryside, scenery
die Landstraße, -n	country road
die Luft	air
die Straße, -n	road, street
die Wiese, -n	meadow

Useful phrases

hügelig *hilly;* **flach** *flat;* **steil** *steep*
ruhig *peaceful*
fruchtbar *fertile;* **schlecht** *bad, poor*
kultivieren, anbauen *to cultivate, grow*
fließen *to flow*
bummeln *to wander, stroll*
überqueren *to cross*
jagen *to hunt; to shoot*
in einer Jugendherberge übernachten *to spend the night in a youth hostel*
sich auf den Weg machen *to set out, set off*
der Weg zum Dorf *the way to the village*
in der Ferne *in the distance*

❒ **Important words** *(m)*

der Bach, ̈e	stream, brook
der Bauer, -n	farmer; peasant
der Boden ̈	ground, earth
der Forst, -e	forest
der Friede(n)	peace
der Gipfel	(mountain) top
der Gummistiefel	wellington (boot)
der Spazierstock, ̈e	walking stick
der Stiefel	boot
der Strom, ̈e	river
der Tourist, -en	tourist
der Wasserfall, ̈e	waterfall
der Weg, -e	path, way, road

❒ **Important words** *(f)*

die Bäuerin	lady farmer; farmer's wife; peasant
die Bauersfrau, -en	farmer's wife
die Erde, -n	earth, soil
die Gegend, -en	district, area
die Heide, -n	heath; heather
die Landwirtschaft	agriculture, farming
die Talsperre, -n	dam

❒ **Important words** *(nt)*

das Bauernhaus, (-häuser)	farmhouse
das Fernglas, ̈er	(pair of) binoculars
das Flachland	lowlands *(pl)*
das Gebiet, -e	area
das Gebirge	mountain chain
das Heideland	heath
das Heu	hay
das Korn	corn, grain
das Tor, -e	gate
das Ufer	(river) bank

❐ **Useful words** *(m)*

der Acker, ⸚	field
der Bewohner	inhabitant
der Dorfbewohner	villager
der Erdboden, ⸚	ground
der Jäger	hunter
der Landwirt, -e	farmer
der Pfad, -e	path
der Schlamm	mud
der Sumpf, ⸚e	marsh
der Teich, -e	pond
der Wegweiser	signpost
der Weiher	pond, lake
der Weiler	hamlet
der Weinberg, -e	vineyard
der Wipfel	treetop

❐ **Useful words** *(f)*

die Ebene, -n	plain
die Ernte, -n	harvest, crop
die Falle, -n	trap
die Gemeinde, -n	community
die Hecke, -n	hedge
die Jagd, -en	hunt; hunting
die Quelle, -n	spring; source
die Spitze, -n	tip, peak, point
die (Wind)mühle, -n	(wind)mill

❐ **Useful words** *(nt)*

das Geräusch, -e	noise, sound
das Getreide	grain, cereal crop
das Grundstück, -e	estate; plot of land
das Heidekraut	heather
das Loch, ⸚er	hole

❑ **Essential words** *(m)*

der Bart, ⸚e	beard
der Herr, -en	gentleman
der Junge, -n	boy
der Mann, ⸚er	man
der Mensch, -en	human being; man; person
der (Personal)ausweis, -e	identity card
der Schnurrbart, ⸚e	moustache

❑ **Essential words** *(f)*

die Ähnlichkeit, -en (mit)	similarity (to)
die Auge, -n	eye
die Bewegung, -en	movement, motion
die Brille, -n	(pair of) glasses
die Dame, -n	lady
die Frau, -en	woman
die Gesichtsfarbe, -n	complexion
die Größe, -n	height; size
die Person, -en	person
die Schönheit	beauty

❑ **Essential words** *(nt)*

das Alter	age
das Aussehen	appearance
das Fräulein	young lady
das Haar, -e	hair
das Mädchen	girl

Useful phrases

ich heiße Wolfgang *my name is Wolfgang*
wie heißen Sie? *what is your name?*
jung *young;* **alt** *old*
wie alt sind Sie? *how old are you?, what age are you?*
ich bin 16 (Jahre alt) *I am 16 (years old)*
mittleren Alters *middle-aged*

Useful phrases

bärtig *bearded;* **schnurrbärtig** *with a moustache*
glatt rasiert *clean-shaven*
er sieht wie sein Vater aus/wie seine Mutter aus *he looks like his father/his mother*
er ist seinem Vater/seiner Mutter ähnlich *he resembles his father/his mother*
erkennen *to recognize*
gut/schlecht aussehen *to look well/poorly*
müde/zornig/komisch aussehen *to look tired/angry/funny*
ein gut aussehender Mann *a handsome* or *good-looking man*
eine schöne Frau *a beautiful woman*
groß *tall, big;* **klein** *short, small;* **lang** *long;* **kurz** *short*
ein Mann von mittlerer Größe *a man of medium height*
sie ist 1 Meter 70 groß *she is 1 metre 70 tall*
grüne/blaue/braune Augen haben *to have green/blue/brown eyes*
Kontaktlinsen/eine Brille tragen *to wear contact lenses/glasses*
er hat blonde/dunkle/schwarze/rote/graue Haare *he has blond or fair/dark/black/red/grey hair*
rothaarig *red-haired*
eine Glatze bekommen *to be going bald*
lockiges/welliges/glattes Haar *curly/wavy/straight hair*
ihre neue Frisur steht ihr gut *her new hairstyle suits her*
sich benehmen *to behave (oneself)*
weinen *to cry;* **lachen** *to laugh;* **lächeln** *to smile*
vor Freude lachen/weinen *to laugh/cry with joy*
eine gute Figur haben *to have a nice figure*
wie viel wiegst du? *what do you weigh?*
die Gewohnheit haben, etw zu tun *to have a habit of doing sth*
(nicht) in der Laune *or* **in der Stimmung für etw** *(acc)* **sein** *(not) to be in the mood for sth*
gut/schlecht gelaunt *in a good/bad mood*
auf jdn böse sein *to be angry with sb*
ärgern *to annoy*

❑ **Important words** (m)

der Charakter	character
der Gang, ̈-e	walk, gait
der Mangel, ̈-	defect, fault
der Zorn	anger

❑ **Important words** (f)

die Figur, -en	figure
die Freude, -n	joy, delight
die Geste, -n	gesture
die Kontaktlinsen (pl)	contact lenses
die Natur, -en	nature
die Neugierigkeit	curiosity
die Schüchternheit	shyness

❑ **Important words** (nt)

das Gewicht, -e	weight
das Wesen	character, personality

❑ **Useful words** (m)

der Ausdruck, ̈-e	expression
der Faulenzer	lazybones
der Gesichtszug, ̈-e	(facial) feature
der Körperbau	build
der Leberfleck, -e	mole
der Pickel	spot, pimple
der Pony, -s	fringe
der Riese, -n	giant
der Schönheitsfleck, -e	beauty spot
der Schweiß	sweat, perspiration
der Taugenichts, -e	good-for-nothing
der Teint, -s	complexion
der Zug, ̈-e	feature

❒ Useful words (f)

die Ängstlichkeit	nervousness
die Dauerwelle, -n	perm
die Eigenschaft, -en	quality, attribute
die Falte, -n	wrinkle
die Faulenzerin	lazybones
die Frisur, -en	hairstyle
die Gestalt, -en	figure
die Gewohnheit, -en	habit
die Glatze, -n	bald head
die Hässlichkeit	ugliness
die Laune, -n	mood, humour, temper
die Locke, -n	curl
die Narbe, -n	scar
die Runzel, -n	wrinkle
die Schlafmütze, -n	sleepyhead
die Sommersprosse, -n	freckle
die Stimmung, -en	mood, frame of mind
die Träne, -n	tear
die Wut	fury, rage

❒ Useful words (nt)

das Benehmen	behaviour
das Doppelkinn, -e	double chin
das Gebiss, -e	false teeth
das Gefühl, -e	feeling
das Gewissen	conscience
das Grübchen	dimple
das (Lebe)wesen	creature
das Selbstvertrauen	self-confidence

ähnlich (+ *dat*)	similar (to), like
ängstlich	nervous, worried
auffallend	striking
blass	pale
blind	blind
böse	angry; evil
bucklig	hunch-backed
dick	fat
dumm	stupid
dünn	thin
Durchschnitts-	average
ehrlich	honest
eifersüchtig (auf + *acc*)	jealous (of)
einsam	lonely
enttäuscht	disappointed
ernst	serious
frech (zu + *dat*)	cheeky (to)
freundlich (zu + *dat*)	friendly (to), kind (to)
froh, fröhlich	glad, happy
gebräunt	tanned
geduldig	patient
geschickt	skilful, clever
glücklich	happy
grausam	cruel
groß	tall; big
gutmütig	good-natured
hässlich	ugly
hell	fair (*skin*); light
homosexuell	homosexual
hübsch	pretty
intelligent	intelligent
klein	small
klug	clever
komisch	funny
kräftig	strong
kurz	short
kurzsichtig/weitsichtig	short-sighted/long-sighted
lächerlich	ridiculous

lahm	lame
lang	long
mager	skinny, thin, lean
mürrisch	sullen
nachlässig	careless
nackt	bare, naked
neidisch (auf + *acc*)	jealous (of)
nervös	nervous
nett	neat; nice
neugierig	curious, nosy
pickelig	spotty
reizend	charming
rund	round
schlank	slender
schön	beautiful
schüchtern	shy
schwach	weak
seltsam	strange
sorgfältig	careful, painstaking
stark	strong
stolz (auf + *acc*)	proud (of)
streng	hard, harsh; strict
stumm (vor)	dumb (with)
sympathisch	nice, likeable
tapfer	brave
taub	deaf
traurig	sad
unartig	naughty
ungeschickt	clumsy, awkward
vernünftig	sensible
verrückt	crazy, mad
verschieden	different
vorsichtig	careful, cautious
weise	wise
winzig	tiny
zerstreut	absent-minded
zornig	angry
zufrieden (mit + *dat*)	pleased (with)

❏ **Essential words** *(m)*

der Bleistift, -e	pencil
der Computer	computer
der Direktor, -en	principal, headmaster
die Ferien *(pl)*	holidays
der Fernseher	television
der Filzstift, -e	felt-tip pen
der Freund, -e	friend
der Informatikunterricht	computer studies
der Kindergarten, ¨	nursery school
der Klassenlehrer	form teacher
der Kugelschreiber	ballpoint pen
der Kuli, -s	Biro®, ballpoint pen
der Lehrer	(school)teacher
der Preis, -e	prize
der Prüfer	examiner
der Schreibtisch, -e	desk
der Schulanfang	beginning of term
der Schüler	schoolboy, pupil, student
der Schulfreund, -e	schoolfriend
der Schulhof, ¨e	playground
der Schulkamerad, -en	schoolfriend
der Speisesaal, (-säle)	dining hall
der Spielplatz, ¨e	playground
der Stundenplan, ¨e	timetable
der Test, -s	test
der Unterricht, -e	instruction; *(pl)* lessons
der Versuch, -e	experiment

❏ Essential words (f)

die Abschlussprüfung	final exam
die Antwort, -en	answer
die Arbeit, -en	work; test
die Aufgabe, -n	exercise, task
die Bibliothek, -en	library
die Biologie	biology
die Chemie	chemistry
die Direktorin	headmistress (of secondary school)
die Erdkunde	geography
die Frage, -n	question
die Freundin	friend
die Gemeinschaftskunde	social studies
die Geografie	geography
die Gesamtschule, -n	comprehensive school
die Geschichte, -n	history; story
die Grundschule, -n	primary school
die Gruppe, -n	group
die Handarbeit	handicrafts; needlework
die Hauptschule, -n	secondary school
die Hausaufgabe, -n	homework
die Karte, -n	map; card
die Klasse, -n	class, form
die Klassenarbeit, -en	test
die Klassenfahrt, -en	(class) trip, outing
die Klassenlehrerin	form teacher
die Kreide	chalk
die Kunst	art
die Lehrerin	(school)teacher
die Mappe, -n	briefcase; folder
die Mathematik; die Mathe	mathematics, maths
die Mittagspause, -n	lunch break
die Musik	music
die Pause, -n	break, interval
die Physik	physics

Useful phrases

die Schule besuchen *to attend school*
in der Schule *at school*
ich gehe in die Schule *I'm going to school*
arbeiten *to work*
aufpassen *to pay attention;* **zuhören** *to listen*
lernen *to learn;* **studieren** *to study;* **vergessen** *to forget*
lesen *to read;* **schreiben** *to write;* **sprechen** *to speak*
sprichst du Deutsch? *do you speak German?*
seit wie vielen Jahren lernen Sie Deutsch? *how many years have you been learning German?*
ich lerne seit 3 Jahren Deutsch *I've been learning German for 3 years*
lehren, unterrichten *to teach*
ich möchte Lehrer werden *I'd like to be a teacher*
der Französischlehrer *the French teacher (teacher of French)*
eine Prüfung machen *to sit an exam*
das Abitur machen *to sit one's A-levels (approx)*
wiederholen *to repeat; to revise*
mündlich *oral;* **schriftlich** *written*
eine Prüfung bestehen/nicht bestehen *to pass/fail an exam*
den ersten Preis gewinnen *to win first prize*
durchfallen *to fail*
sitzen bleiben *to repeat a year*
Fortschritte machen *to make progress*
versetzen *to move or put up*
die Schule verlassen *to leave school*
klug *clever;* **intelligent** *intelligent;* **dumm** *stupid*
fragen *to ask;* **antworten** *to answer, reply*
jdm eine Frage stellen *to ask sb a question*
eine Frage beantworten *to answer a question*

❏ Essential words *(f)* *(cont)*

die Prüfung, -en	exam, examination
die Realschule, -n	secondary school
die (höhere) Schule, (-n) -n	(secondary) school
die Schülerin	schoolgirl, pupil; student
die Schulfreundin *or* die Schulkameradin	schoolfriend
die Schultasche, -n	satchel, school bag
die Seite, -n	page
die Seite, -n	page
die Sozialkunde	social studies
die Tafel, -n	blackboard
die Technik	technology
die Tinte	ink
die Turnhalle, -n	gym, gymnasium
die Universität, -en; die Uni	university

❏ Essential words *(nt)*

das Buch, ⸚er	book
das Deutsch	German
das Englisch	English
das Examen, - *or* Examina	exam, examination
das Französisch	French
das Gymnasium, -ien	grammar school
das Klassenzimmer	classroom, schoolroom
das Lineal, -e	ruler
das Papier, -e	paper
das (Schul)fach, ⸚er	(school) subject
das (Schul)heft, -e	exercise book
das Semester	term (*2 per year*)
das Spanisch	Spanish
Technisches Zeichnen	technical drawing
das Trimester	term (*3 per year*)
das Turnen	P.E.; gymnastics
das Werken	handicrafts
das Wörterbuch, ⸚er	dictionary

❏ **Important words** (m)

der Austausch, -e	exchange
der Buchstabe, -n	letter of alphabet
der Erfolg, -e	success
der Ethikunterricht	ethics
der Fehler	mistake, error; fault
der Hochschüler	college student
der Klassenkamerad, -en	classmate
der Klassensprecher	form prefect
der Kurs, -e	course
der Mitschüler	classmate, schoolmate
der Radiergummi, -s	rubber, eraser
der Rektor, -en	headmaster *(primary)*; rector
der Schlafsaal, (-säle)	dormitory
der Schülerlotse, -n	*pupil who helps with school crossing patrol*
der Student, -en	student
der Zettel	piece of paper; note; form

❏ **Important words** (nt)

das Abitur	German school-leaving certificate/exam
das Bestehen	pass (*in exam*)
das Blatt, ¨-er	sheet (*of paper*)
das Diplom, -e	diploma
das Ergebnis, -se	result (*of exam*)
das Italienisch	Italian
das Latein	Latin
das Lehrerzimmer	staff room
das Pflichtfach, ¨-er	compulsory subject
das Rechnen	arithmetic
das (Schul)zeugnis, -se	(school) report
das (Sprach)labor, -e	(language) lab
das Vokabular	vocabulary
das Wahlfach, ¨-er	option, optional subject
das Zeichnen	drawing (*subject*)

❏ Important words (f)

die Algebra	algebra
die Aula, Aulen *or* -s	assembly hall
die Berufsschule, -n	vocational *or* trade school
die Fach(hoch)schule, -n	technical college
die Fremdsprache, -n	foreign language
die Ganztagsschule, -n	all-day school *or* schooling
die Garderobe, -n	cloakroom
die gemischte Schule, -n -n	mixed school, co-ed
die Geometrie	geometry
die Grammatik	grammar
die Halbtagsschule, -n	half-day school
die Hochschule, -n	college; university
die Klassenkameradin	classmate
die Lehre	teaching
die Leistung, -en	achievement
die Methode, -n	method
die Mitschülerin	classmate, schoolmate
die mittlere Reife	intermediate school-leaving certificate/exam
die Nachhilfe	private coaching *or* tuition
die Naturwissenschaft, -en	natural history
die Note, -n	mark, grade
die Oberstufe, -n	upper school
die Reihe, -n	row (*of seats etc*)
die Rektorin	headmistress (*primary*)
die Religion	religion
die Schülermitverwaltung, -en (SMV)	school *or* student council
die Sprache, -n	language
die neueren Sprachen (*pl*)	modern languages
die Strafarbeit, -en	punishment exercise
die Studentin	student
die Technische Hochschule, -n -n	technical college
die Übersetzung, -en	translation
die Übung, -en	practice; exercise
die Zeichnung, -en	drawing (*piece of work*)

❏ **Useful words** *(m)*

die Abwesenden *(pl)*	absentees
die Anwesenden *(pl)*	those present
der Aufsatz, ⁀e	composition, essay
der Aufsichtsschüler	prefect
der Bericht, -e	report
der Bleistiftspitzer	pencil sharpener
der Drehbleistift, -e	propelling pencil
der Federhalter	(fountain) pen
die Fortschritte *(pl)*	progress
der Füllfederhalter;	fountain pen
der Füller	
der Gang, ⁀e	corridor
der Gesang	singing
der Internatsschüler	boarder
der Irrtum, ⁀er	error
der Klecks, -e	blot, stain
der Religionsunterricht	religious education
der Satz, ⁀e	sentence
der Tageslichtprojektor, -en	overhead projector
der Tagesschüler	day-boy
der Vortrag, ⁀e	talk, lecture

> ### Useful phrases
>
> **schwierig** *difficult;* **einfach** *easy*
> **interessant** *interesting;* **langweilig** *boring*
> **faul** *lazy;* **fleißig** *hard-working;* **streng** *strict*
> **mein Lieblingsfach** *my favourite subject*
> **letztes Jahr habe ich einen Austausch gemacht** *I did an*
> *exchange last year*
> **schulfrei haben** *to have a day off*
> **hitzefrei haben** *to have a day off because of very hot weather*

❏ Useful words *(f)*

die Aktentasche, -n	briefcase
die Aufsichtsschülerin	prefect
die Dichtung	poetry
die Doppelstunde, -n	double period
die Erziehung	education, schooling
die Handelsschule, -n	commercial college
die Hauswirtschaft	home economics
die Internatsschülerin	boarder
die Kantine, -n	canteen
die Lektion, -en	lesson, unit
die Lektüre, -n	reading
die Pädagogische Hochschule, -n -n (PH)	College of Education
die Preisverleihung, -en	prize-giving
die Rechtschreibung	spelling
die Regel, -n	rule
die Tagesschülerin	day-girl
die Vorlesung, -en	lecture

❏ Useful words *(nt)*

das Benehmen	behaviour, conduct
das Diktat, -e	dictation
das Griechisch	Greek
das Internat, -e	boarding school
das Nachsitzen	detention
das Notizbuch, ¨-er	jotter; notebook
das Pult, -e	desk
das Russisch	Russian
das Studenten(wohn)heim, -e	students' hall of residence
das Tonbandgerät, -e	tape recorder

Useful phrases

abschreiben *to copy*
die Schule schwänzen *to skip school*
bestrafen *to punish;* **loben** *to praise*
jdn nachsitzen lassen *to keep sb in (after school)*

❑ Essential words *(m)*

der Abfall, ⁻e	waste
der Baum, Bäume	tree
der Berg, -e	hill, mountain
der Energieverbrauch	energy consumption
der Fisch, -e	fish
der Fluss, ⁻e	river
der Müll	rubbish, refuse
der Regen	rain
der saure Regen	acid rain
der Schadstoff, -e	harmful substance
der See, -n	lake
der Smog	smog
der Umweltschutz	conservation
der Strand, ⁻e	beach
der Wald, ⁻er	forest, wood

❑ Essential words *(f)*

die Blume, -n	flower
die Fabrik, -en	factory
die Flasche, -n	bottle
die Frage, -n	question
die globale Erwärmung	global warming
die Insel, -n	island
die Krise, -n	crisis
die Luft	air
die Ozonschicht	ozone layer
die See, -n	sea
die Temperatur, -en	temperature
die Welt	world
die Zeit, -en	time
die Zeitschrift, -en	magazine
die Zeitung, -en	newspaper

❏ **Essential words** *(nt)*

das Auto, -s	car
das Benzin	petrol
das Essen	food
das Gas, -e	gas
das Gemüse	vegetables
das Glas, -er	glass
das Land, ¨er	country
das Meer, -e	ocean; sea
das Obst	fruit
das Ozonloch, ¨er	hole in the ozone layer
das Schwermetall, -e	heavy metal
das Tier, -e	animal
das Treibgas, -e	propellant
das Waldsterben	dying of the forests
das Wasser	water
das Wetter	weather

Useful phrases

eine Weltreise machen *to go round the world*
das höchste/größte/schönste ... der Welt *the highest/ biggest/most beautiful ... in the world*
in der Zukunft *in future*
aussterben *to become extinct*
verschmutzen *to pollute*
zerstören *to destroy*
verunreinigen *to contaminate*
etw verbieten *to ban sth*
retten *to save*
wieder aufbereiten *to reprocess*
wieder verwerten, recyceln *to recycle*
biologisch abbaubar *biodegradable*
umweltfreundlich *environment-friendly*
umweltschädlich *harmful to the environment*
grün *green;* **ökologisch** *ecological*
organisch *organic;* **bleifrei** *unleaded*

❐ **Important words** *(m)*

die Grünen *(pl)*	the Greens
der Kanal, Kanäle	canal
der Mond	moon
der Müllabladeplatz, ⸚e	rubbish tip *or* dump
der Planet, -en	planet
die tropischen Regenwälder *(pl)*	tropical rainforests
der Strom, ⸚e	river

❐ **Important words** *(f)*

die Chemikalien *(pl)*	chemicals
die Erde	the earth
die Gegend, -en	region, area
die Hitze	heat
die Katastrophe, -n	catastrophe
die Kernkraft	nuclear power
die Küste, -n	coast
die Lösung, -en	solution
die Pflanze, -n	plant
die Sprühdose, -n	aerosol
die Wiederverwertung	recycling, reprocessing
die Zukunft	future

❐ **Important words** *(nt)*

das Aluminium	aluminium
das Deodorant -s *or* -e	deodorant
das Gebiet, -e	area
das Kernkraftwerk, -e	nuclear power station
das Klima, -s *or* -te	climate
das Ökosystem	ecosystem
das Produkt, -e	product; *(pl)* produce
das Recycling	recycling
das Spülmittel	washing-up liquid
das Waschmittel	detergent
das Waschpulver	washing powder

❑ Useful words *(m)*

die Bodenschätze *(pl)*	mineral resources
der Bohrturm, ⁻e	drilling or oil rig
der Brennstoff, -e	fuel *(for heating)*
der Dieselkraftstoff	diesel oil
der Elektrosmog	electromagnetic radiation
der FCKW, -s	CFC
der Ökologe, -n	ecologist
der Ozean, -e	ocean
der Schaden, ⁻	damage, harm
der Treibhauseffekt	greenhouse effect
der Treibstoff, -e	fuel *(for vehicles)*
der Umweltschützer	conservationist, environmentalist

❑ Useful words *(f)*

die Lärmbelästigung	noise pollution
die Luftverschmutzung	air pollution
die Mülldeponie, -n	waste disposal site
die Ökologin	ecologist
die Regierung, -en	government
die Steuer, -n	tax
die Umwelt	environment
die (Umwelt)verschmutzung	(environmental) pollution
die Wiederaufarbeitungs-anlage, -n	reprocessing plant
die Windkraft	wind power
die Wüste, -n	desert

❑ Useful words *(nt)*

das Abgas	exhaust fumes
die Abwässer *(pl)*	sewage
das Altpapier	waste paper
das Erdbeben	earthquake
das Loch, ⁻er	hole
das Weltall	universe

❏ **Essential words** (m)

Alte(r), -n	old man/woman
der Babysitter	babysitter
der Bruder, ⸚	brother
die Eltern (pl)	parents
Erwachsene(r), -n	grown-up, adult
der Familienname, -n	surname
der Freund, -e	friend
die Geschwister (pl)	brothers and sisters
die Großeltern (pl)	grandparents
der Großvater, ⸚	grandfather
der Junge, -n	boy
die Leute (pl)	people
der Mädchenname, -n	maiden name
der Mann, ⸚er	man; husband
der junge Mann, -n ⸚er	youth, young man
der Mensch, -en	human being, person
der Name, -n	name
der Onkel	uncle
der Opa, -s; der Opi, -s	grandpa
der Sohn, ⸚e	son
der Vater, ⸚	father
der Vati, -s	dad, daddy
der Vorname, -n	first name, Christian name
der Zwilling, -e	twin
der Zwillingsbruder, ⸚	twin brother

Useful phrases

ich heiße Karl *my name is Karl*
ich bin (17 Jahre alt) *I am 17 (years old)*
ich bin 1986 geboren *I was born in 1986*
wie heißt du? – wie alt bist du? *what's your name? –
how old are you?*
männlich *male;* weiblich *female*
kennen *to know;* kennen lernen *to get to know*
vorstellen *to introduce;* erinnern (an + acc) *to remind (of)*
unsere Familie stammt aus Polen *our family comes from Poland*
wir wohnen jetzt in Österreich *we live in Austria now*

❏ **Essential words** *(f)*

die Dame, -n	lady
die Familie, -n	family
die Frau, -en	woman; wife
die Freundin	friend
die Großmutter, ¨	grandmother
die Hausfrau, -en	housewife
die Mutter, ¨	mother
die Mutti, -s	mum, mummy
die Oma, -s; die Omi, -s	granny
die Person, -en	person
die Schwester, -n	sister
die Tante, -n	aunt
die Tochter, ¨	daughter
die Zwillingsschwester, -n	twin sister

❏ **Essential words** *(nt)*

das Alter	age; old age
das Baby, -s	baby
das Einzelkind, -er	only child
das Fräulein	young lady
das Kind, -er	child
das Mädchen	(young) girl
das Paar, -e	couple

Useful phrases

verlobt *engaged;* **verheiratet** *married*
ledig *single;* **geschieden** *divorced*
meine Eltern leben getrennt *my parents are separated*
sich verloben *to get engaged;* **sich verheiraten** *to get married*
sich scheiden lassen *to get divorced*
älter/jünger als ich *older/younger than me*
die ganze Familie *the whole family*
bei uns *at our place, at our house*
mein Großvater ist 1990 gestorben *my grandfather died in 1990*
tot *dead;* **streiten** *to quarrel;* **sich vertragen** *to get along*

❏ **Important words** (m)

der Austauschpartner	partner (*in an exchange*)
Bekannte(r), -n	acquaintance
der Cousin, -s	cousin
der Ehemann, ⸚er	married man; husband
der Enkel	grandson; (*pl*) grandchildren
Jugendliche(r), -n	teenager, young person
der Nachbar, -n	neighbour
der Nachname, -n	surname
der Neffe, -n	nephew
der Rentner	(old age) pensioner
der Schwiegersohn, ⸚e	son-in-law
der Schwiegervater, ⸚	father-in-law
Verlobte(r), -n	fiancé/fiancée
Verwandte(r), -n	relation, relative
der Vetter, -n	cousin
der Witwer	widower

❏ **Important words** (f)

die Cousine, -n	cousin
die Ehefrau, -en	married woman; wife
die Enkelin	granddaughter
die Jugend	youth (*stage of life*)
die Kusine, -n	cousin
die Nachbarin	neighbour
die Nichte, -n	niece
die Rentnerin	(old age) pensioner
die Schwiegermutter, ⸚	mother-in-law
die Schwiegertochter, ⸚	daughter-in-law
die Witwe, -n	widow

❏ **Important words** (nt)

das Aupairmädchen	au pair
das Ehepaar, -e	married couple
das Enkelkind, -er	grandchild
das Kindermädchen	nanny

❏ Useful words (m)

der Bräutigam, -e	bridegroom
die Drillinge (pl)	triplets
der Elternteil, -e	parent
der Geburtsort, -e	place of birth
der Junggeselle, -n	bachelor
die Jungverheirateten (pl)	newly-weds
der Pate, -n	godfather
der Rufname, -n	first name, usual name
der Säugling, -e	baby, infant
der Schwager, ⁞	brother-in-law
der Spitzname, -n	nickname
der Stiefbruder, ⁞	stepbrother
der Stiefvater, ⁞	stepfather
der Vorfahr, -en	ancestor
der Vormund, -e or ⁞er	guardian
der Zuname, -n	surname

❏ Useful words (f)

die Braut, Bräute	bride
die Hochzeit, -en	wedding
die alte Jungfer, -n -n	spinster, old maid
die Junggesellin	unmarried woman
die Patin	godmother
die Schwägerin	sister-in-law
die Stiefmutter, ⁞	stepmother
die Stiefschwester, -n	stepsister
die Waise, -n	orphan

❏ Useful words (nt)

das Geburtsdatum, -daten	date of birth
das Greisenalter	(extreme) old age
das Waisenhaus, (-häuser)	orphanage
das Weib, -er	woman (old-fashioned or pejorative)

❒ Essential words *(m)*

der Bauer, -n	farmer; peasant, countryman
der Bauernhof, ¨e	farm, farmyard
der Hahn, ¨e	cock, rooster
der Hügel	hill
der Hund, -e	dog
der Landarbeiter	farm labourer
der Markt, ¨e	market
der Wald, ¨er	wood, forest

❒ Essential words *(f)*

die Bäuerin	lady farmer; farmer's wife; peasant
die Bauersfrau, -en	farmer's wife
die Ente, -n	duck
die Erde	earth, soil
die Gans, ¨e	goose
die Henne, -n	hen
die (Heu)gabel, -n	pitchfork
die Katze, -n	cat
die Wiese, -n	meadow

❒ Essential words *(nt)*

das Dorf, ¨er	village
das Feld, -er	field
das Kalb, ¨er	calf
das Land, ¨er	land; country
das Tier, -e	animal

Useful phrases

auf einem Bauernhof wohnen *to live on a farm*
Ferien auf dem Bauernhof *farm holidays*
der Bauer sorgt für die Tiere *the farmer looks after the animals*
die Felder pflügen *to plough the fields*
die Ernte einbringen *to bring in the harvest* or *the crops*
zur Erntezeit *at harvest-time*

❑ Important words *(m)*

der Bach, ¨e	stream, brook
der Boden, ¨	ground, earth; floor; loft
der Bulle, -n	bull
der Lieferwagen	van
der Ochse, -n	ox
der Puter	turkey(-cock)
der Traktor, -en	tractor
der Weizen	wheat
der Zaun, Zäune	fence

❑ Important words *(f)*

die Feldmaus, (-mäuse)	fieldmouse
die Heide, -n	heath
die Herde, -n	herd; flock
die Kuh, ¨e	cow
die Landschaft, -en	countryside, scenery
die Landwirtschaft	agriculture, farming
die Milchkanne, -n	milk churn
die Pute, -n	turkey(-hen)

❑ Important words *(nt)*

das Bauernhaus, (-häuser)	farmhouse
das Gebäude	building
das Heu	hay
das Huhn, ¨er	chicken, hen; *(pl)* poultry
das Hühnerhaus, (-häuser)	henhouse
das Korn, ¨er	corn, grain
das Lamm, ¨er	lamb
das Pferd, -e	horse
das Schaf, -e	sheep
das Schwein, -e	pig
das Stroh	straw

❏ Useful words (m)

der Acker, ⸚	field
der Brunnen	well
der Dünger	dung, manure; fertilizer
der Eimer	bucket, pail
der Esel	donkey
der Graben, ⸚	ditch
der Hafer	oats (pl)
der Hase, -n	hare
der Haufen	heap, pile
der Heuboden, ⸚	hayloft
der Karren	cart
der Kuhstall, ⸚e	cowshed, byre
der Landwirt, -e	farmer
der Mähdrescher	combine harvester
der Mais	maize
der Pferdestall, ⸚e	stable
der Pflug, ⸚e	plough
der Roggen	rye
der Schäfer	shepherd
der Schäferhund, -e	sheepdog, German shepherd
der Schlamm	mud
der Schuppen	shed
der Stall, ⸚e	stable; sty; (hen)house
der Stapel	pile
der Staub	dust
der Stier, -e	bull
der Teich, -e	pond
der Truthahn, ⸚e	turkey(-cock)
der Widder	ram

❑ Useful words (f)

die Ernte, -n	harvest, crop
die Erntezeit, -en	harvest (time)
die Furche, -n	furrow
die Garbe, -n	sheaf
die Gerste	barley
die Kleie	bran
die Leiter, -n	ladder
die Scheune, -n	barn
die Vogelscheuche, -n	scarecrow
die Weide, -n	pasture
die (Wind)mühle, -n	(wind)mill
die Ziege, -n	goat

❑ Useful words (nt)

das Gatter	gate; railing
das Geflügel	poultry
das Geschirr, -e	harness
das Getreide	cereals, grain
das Küken	chicken, chick
das (Rind)vieh	cattle (pl), livestock
das Zugpferd, -e	carthorse

❒ **Essential + important words** (m)

der Fische, -e	fish
der Goldfisch, -e	goldfish
der Schwanz, ⁝e	tail

❒ **Useful words** (m)

der Aal, -e	eel
der Floh, ⁝e	flea
der Flügel	wing
der Frosch, ⁝e	frog
der Hai(fisch), -e	shark
der Hecht, -e	pike
der Hering, -e	herring
der Hummer	lobster
der Kabeljau, -e or -s	cod
der Käfer	beetle
der Krebs, -e	crab; crayfish
der Lachs, -e	salmon
der Maikäfer	cockchafer
der Marienkäfer	ladybird
der Nachtfalter	moth
der Schellfisch, -e	haddock
der Schmetterling, -e	butterfly
der Stich, -e	sting
der Thunfisch, -e	tuna fish
der Tintenfisch, -e	(small) octopus, squid
der Weißfisch, -e	whiting
der Wurm, ⁝er	worm

❒ **Essential + important words** (nt)

das Insekt, -en	insect
das Schalentier, -e	shellfish
das Wasser	water

Useful phrases

im Wasser schwimmen *to swim in the water*
in der Luft fliegen *to fly in the air*
„Angeln verboten" *"no fishing"*

❒ Essential + important words *(f)*

die Biene, -n	bee
die Fliege, -n	fly
die Forelle, -n	trout
die Luft	air
die Sardine, -n	sardine
die Wespe, -n	wasp

❒ Useful words *(f)*

die Ameise, -n	ant
die Auster, -n	oyster
die Flosse, -n	fin
die Garnele, -n	shrimp; prawn
die Grille, -n	cricket
die Heuschrecke, -n	grasshopper
die Hornisse, -n	hornet
die Kaulquappe, -n	tadpole
die Kiemen *(pl)*	gills
die Krabbe, -n	shrimp; prawn
die Languste, -n	crayfish
die Libelle, -n	dragonfly
die (Mies)muschel, -n	mussel
die Motte, -n	moth
die Mücke, -n	midge
die Qualle, -n	jellyfish
die Raupe, -n	caterpillar
die Schmeißfliege, -n	bluebottle
die Schuppe, -n	scale
die Seezunge, -n	sole
die Seidenraupe, -n	silkworm
die Spinne, -n	spider
die Stechmücke, -n	mosquito
die Wanze, -n	bug

Useful phrases

stechen *to sting*
die Biene/die Wespe sticht *the bee/the wasp stings*
die Mücke sticht *the midge bites*

❒ **Essential words** *(m)*

der Alkohol	alcohol
der (Apfel)saft, ⸚e	(apple) juice
der Apfelstrudel	apple strudel
der Apfelwein, -e	cider
der Appetit, -e	appetite
der Aufschnitt, -e	cold meats
der Becher	mug; tumbler
die Chips *(pl)*	crisps
der Durst	thirst
der Eintopf, ⸚e	stew
der Essig	vinegar
der Fisch, -e	fish
der Honig	honey
der Hunger	hunger
der Imbiss, -e	snack
der Joghurt, -s	yoghurt
der Kaffee	coffee
der Kakao, -s	cocoa
der Käse	cheese
der Keks, -e	biscuit
der Kellner	waiter
der Kuchen	cake
der Löffel	spoon
der Nachtisch, -e	dessert, sweet
der Orangensaft	orange juice
der Pfeffer	pepper
der Reis	rice
der Salat, -e	salad
der Schinken	ham
der Schnellimbiss, -e	snack bar
der Senf, -e	mustard
der Sprudel	sparkling mineral water
der Tee, -s	tea
der Teller	plate
der Tisch, -e	table
der Wein, -e	wine
der Zucker	sugar

Useful phrases

essen *to eat;* **trinken** *to drink*
könnte ich bitte eine Cola haben? *could I have a Coke please?*
wie wär's mit einem Apfelsaft? *do you fancy an apple juice?*
bezahlen bitte! *the bill please!*
schlucken *to swallow;* **schmecken** *to taste (good)*
probieren *to try*
das schmeckt ihm *he likes it*
schmeckt Ihnen der Wein? *do you like the wine?*
das schmeckt scheußlich! *that tastes dreadful!*
ich esse gern Käse *I like (eating) cheese*
ich trinke gern Tee *I like (drinking) tea*
ich mag Käse/Tee nicht, ich mag keinen Käse/Tee *I don't like cheese/tea*
ich esse lieber Brot/trinke lieber Bier *I prefer bread/beer*
hungrig sein, Hunger haben *to be hungry*
durstig sein, Durst haben *to be thirsty*
ich sterbe vor Hunger! *I'm starving!*
hast du schon gegessen? *have you eaten yet?*
frühstücken *to have breakfast*
vorbereiten *to prepare;* **kochen** *to cook;* **backen** *to bake;* **braten** *to fry;* **grillen** *to grill;* **würzen** *to season*
paniert *in breadcrumbs*
schneiden *to cut;* **streichen** *to spread*
einschenken *to pour (tea etc)*
bitten um *to ask for;* **reichen** *to pass, hand on*
Mahlzeit!, guten Appetit! *enjoy your meal!*
bedienen Sie sich!, nehmen Sie sich! *help yourselves!*
alkoholisch *alcoholic;* **alkoholfrei** *non-alcoholic*
den Tisch decken/abräumen *to lay or set/clear the table*
abwaschen, (das Geschirr) spülen *to wash up, do the dishes*
abtrocknen *to dry the dishes*

❐ **Essential words** *(f)*

die Bedienung	service; service charge
die Bestellung, -en	order
die Bockwurst, (-würste)	*type of pork sausage*
die (Braten)soße, -n	gravy
die Bratwurst, (-würste)	grilled *or* fried sausage
die Butter	butter
die Cola	Coke®
die Currywurst, (-würste)	curried sausage
die Dose, -n	box; tin, can
die Erfrischung, -en	refreshment
die Flasche, -n	bottle
die Frucht, ¨e	(piece of) fruit
die Gabel, -n	fork
die Imbissstube, -n	snack bar
die Kaffeekanne, -n	coffee pot
die Kartoffel, -n	potato
die Kellnerin	waitress
die Leberwurst	liver sausage
die Limonade, -n, die Limo	lemonade
die Mahlzeit, -en	meal
die Margarine, -n	margarine
die Milch	milk
die Nachspeise, -n	dessert, sweet
die Pizza, -s	pizza
die kalte Platte, -n -n	cold meal
die Portion, -en	portion, helping
die Praline, -n	*(individual)* chocolate
die Rechnung, -en	bill
die Sahne	cream
die Salzkartoffeln *(pl)*	boiled potatoes
die Schlagsahne	whipped cream
die Schokolade, -n	chocolate
die Soße, -n	sauce
die Speisekarte, -n	menu
die Suppe, -n	soup
die Tageskarte, -n	today's menu
die Tasse, -n	cup

❑ Essential words *(nt)*

das Abendbrot	supper
das Abendessen	evening meal
das Bier, -e	beer
das Bonbon, -s	sweet, sweetie
das (Brat)hähnchen	(roast) chicken
das Brot, -e	bread; loaf
ein belegtes Brot, -n -e	open sandwich
das Brötchen	(bread) roll
das Butterbrot, -e	piece of bread and butter
das Café, -s	café
das Ei, -er	egg
das Eis	ice cream
das Essen	meal
das Feuerzeug, -e	lighter
das Fleisch	meat
das Frühstück, -e	breakfast
das Gemüse	vegetables
das Getränk, -e	drink
das Glas, ⁻er	glass
das Graubrot, -e	brown bread
das Gulasch	goulash
das Kalbfleisch	veal
das Kotelett, -e	chop
das Menü, -s	menu
das Messer	knife
das Mineralwasser	mineral water
das Mittagessen	lunch; dinner
das Obst	fruit
das Öl	oil
das Omelett, -s	omelette
das Picknick, -s or -e	picnic
das Pils	lager
die Pommes frites (pl)	chips, French fries
das Restaurant, -s	restaurant
das Rindfleisch	beef
das Rührei	scrambled egg

❐ **Essential words** (f) (cont)

die Teekanne, -n	teapot
die Torte, -n	flan, tart, cake
die Untertasse, -n	saucer
die Wurst, ¨e	sausage
die Zigarette, -n	cigarette
die Zigarre, -n	cigar

❐ **Essential words** (nt) (cont)

das Salz	salt
das Schnitzel	(veal) cutlet
das Schwarzbrot	rye bread
das Schweinefleisch	pork
das Spiegelei, -er	fried egg
das Steak, -s	steak
das Wasser	water
das Weißbrot, -e	white bread
das Wiener Schnitzel	Wiener schnitzel
das Wirtshaus, (-häuser)	inn
das Würstchen	frankfurter

(**Useful phrases**)

das schmeckt sehr gut *this tastes very nice*
prost! *cheers!*
mit jdm anstoßen *to clink glasses with sb*
süß *sweet;* **salzig** *salty;* **sauer** *sour*

❏ **Important words** (m)

der Aschenbecher	ashtray
der Champagner	champagne
der Dessertlöffel	dessert spoon
der Döner	kebab
der Einkaufswagen	shopping trolley
der Esslöffel	tablespoon
der Geschmack, ¨-e	taste
der Hamburger	hamburger
der Kaugummi, -s	chewing gum
der Knoblauch	garlic
der Knödel	dumpling
der Kognak, -s	brandy
der Korken	cork
der Rindsbraten	roast beef
der Schnaps, ¨-e	schnapps; spirits
der Sekt, -e	champagne
der Stammtisch	*table for the regulars*
der Strohhalm, -e	(drinking) straw
der Tabak	tobacco
der Teelöffel	teaspoon
der Toast, -s	toast
der Whisky, -s	whisky

Useful phrases

rauchen *to smoke*
danke, ich rauche nicht *no thanks, I don't smoke*
„Rauchen verboten" *"no smoking"*
um Feuer bitten *to ask for a light*
anzünden *to light up*
ich versuche, das Rauchen aufzugeben *I'm trying to give
up smoking*

❑ **Important words** *(f)*

die Auswahl (an + *dat*)	choice (of)
die Gaststätte, -n	restaurant; pub
die Getränkekarte, -n	wine list
die Kneipe, -n	pub
die Krabben *(pl)*	shrimps; prawns
die Marmelade, -n	jam
die Majonäse, -n	mayonnaise
die Meeresfrüchte *(pl)*	seafood, shellfish
die Nudeln *(pl)*	pasta, noodles
die Orangenmarmelade, -n	marmalade
die Salami, -s	salami
die Salatsoße, -n	salad dressing
die Schale, -n	bowl
die Scheibe, -n	slice
die Schüssel, -n	bowl, dish
die Theke, -n	bar; counter
die Vanillesoße, -n	custard
die Vorspeise, -n	hors d'œuvre, starter
die Weinkarte, -n	wine list
die Wirtschaft, -en	pub

❑ **Important words** *(nt)*

das Geflügel	poultry
das Gericht, -e	dish, course
das Geschirr	dishes, crockery
das Hauptgericht, -e	main course
das Lammfleisch	lamb
das Mus	purée
das Rezept, -e	recipe
das Sandwich, -es	sandwich
das Tablett, -e	tray
das Trinkgeld, -er	tip

Useful phrases

bestellen *to order*
was können Sie mir empfehlen? *what do you recommend?*

❑ Useful words *(m)*

der Eiswürfel	ice cube
der Kaffeefilter	coffee-maker
der Kamillentee	camomile tea
der Kartoffelbrei	mashed potatoes *(pl)*
der Kartoffelsalat	potato salad
der Krug (⁻e) Wasser	jug of water
der Pfannkuchen	pancake
der Pudding	blancmange
der Rahm	cream
der Rotwein	red wine
der (Schinken)speck	bacon
der Teebeutel	tea bag
der Wackelpeter	jelly
der Weinbrand, ⁻e	brandy
der Weißwein	white wine
der Zwieback	toast *(in packets)*

❑ Useful words *(f)*

die Büchse, -n	tin, can
die Eisdiele, -n	ice cream parlour
die Frikadelle, -n	rissole
die Konserven *(pl)*	preserved foods
die Niere, -n	kidney
die Pfeife, -n	pipe
die Serviette, -n	napkin, serviette
die Thermosflasche, -n	flask

❑ Useful words *(nt)*

das Besteck	cutlery
das Geflügel	poultry
das Kartoffelpüree	mashed potatoes
das Mehl, -e	flour
das Streichholz, ⁻er	match
das Tischtuch, ⁻er	tablecloth
das Wild	game *(meat)*

❑ Essential words *(m)*

der Ausflug, ⸚e	outing, trip
der Besuch, -e	visit; visitor
der Brieffreund, -e	penfriend
der Computer	computer
der Fan, -s	fan
der Film, -e	film
der (Foto)apparat, -e	camera
der Freund, -e	friend; boyfriend
der Jugendklub, -s	youth club
der Kassettenrekorder	cassette recorder
der Plattenspieler	record player
der Sänger	singer
der Schlager	hit (record)
der Spaziergang, ⸚e	walk
der Sport	sport
der Tanz, ⸚e	dance
der Verein, -e	club
der Zoo, -s	zoo

❑ Essential words *(f)*

die Brieffreundin	penfriend
die Diskothek, -en	disco
die Einladung, -en	invitation
die Eintrittskarte, -n	(admission) ticket
die Fotografie, -n	photograph; photography
die Freizeit	free time, spare time
die Freundin	friend; girlfriend
die Kassette, -n	cassette
die Langspielplatte, -n	LP
die Musik	music
die Sängerin	singer
die (Schall)platte, -n	record
die (Spiel)karte, -n	(playing) card
die Stereoanlage, -en	stereo (system)
die Zeitschrift, -en	magazine
die Zeitung, -en	newspaper

❐ **Essential words** *(nt)*

das Band, ⁻er	(recording) tape
das Fernsehen	watching television
das Foto, -s	photograph
das Hobby, -s	hobby
das Interesse, -n	interest
das Kartenspiel, -e	game of cards; pack of cards
das Kino, -s	cinema
das Kofferradio, -s	transistor (radio)
das Konzert, -e	concert
das Lesen	reading
das Magazin, -e	magazine
das Museum, Museen	museum
das Programm, -e	(TV) programme
das Radio, -s	radio
das Singen	singing
das Spiel, -e	game
das Taschengeld	pocket money
das Theater	theatre
das Wandern	hiking, rambling
das Wochenende, -n	weekend

Useful phrases

in meiner Freizeit *in my free* or *spare time*
die Zeit damit verbringen, etw zu tun *to spend time doing sth*
am Wochenende *at the weekend(s)*
sich ausruhen *to rest;* **beschließen** *to decide;* **treffen** *to meet*
viel Spaß! *enjoy yourself, have fun!*
es hat mir wirklich gut gefallen *I really liked it*
ausgezeichnet! *excellent!;* **toll!** *terrific!*
einen Spaziergang machen *to go for a walk*
fernsehen *to watch television*
Radio hören *to listen to the radio*
umschalten *to turn over, change channels*
Platten hören *to play records;* **aufnehmen** *to record*
fotografieren *to take photos (of);* **knipsen** *to snap*
lesen *to read;* **schreiben** *to write;* **sammeln** *to collect*
malen *to paint;* **zeichnen** *to draw*

❏ **Important words** (m)

der Drachen	kite; hang-glider
der Karneval, -e *or* -s	carnival
der Krimi, -s	thriller, detective story
der Pfadfinder	boy scout
der Roman, -e	novel
der Treffpunkt, -e	meeting place
der Videorekorder	video (recorder)
der Walkman®	personal stereo, Walkman®
der Wanderer	hiker, rambler

❏ **Important words** (f)

die Aufnahme, -n	shot (*photo*); recording
die Ausstellung, -en	exhibition
die Besichtigung, -en	visit
die (Briefmarken)sammlung, -en	(stamp) collection
die Disko, -s	disco
die Freizeitbeschäftigung, -en	hobby, spare-time activity
die Führung, -en	conducted tour
die Illustrierte, -n	magazine
die Musikkassette, -n	music cassette
die Nachrichten (*pl*)	news, newscast
die Pfadfinderin	girl scout
die Sendung, -en	transmission, programme
die Unterhaltung, -en	entertainment; talk
die Verabredung, -en	date, appointment
die Videokassette, -n	video (cassette)
die Wanderin	hiker, rambler
die Wanderung, -en	walk, hike

❏ **Important words** (nt)

das Dia, -s	slide, transparency
das Mitglied, -er	member
das Schach	chess
das Taschenbuch, ¨-er	paperback

❒ **Useful words** *(m)*

der CD-Spieler	CD player
die Comics *(pl)*	cartoons, comic strips
der Feierabend, -e	end of work, evening
der Spielautomat, -en	slot machine
der Zeitvertreib, -e	pastime

❒ **Useful words** *(f)*

die CD, -s *or* Compactdisc, -s	compact disc, CD
die Fernsehsendung, -en	TV programme
die Filmkamera, -s	cine camera
die Hitliste, -n	charts, top twenty
die Hitparade, -en	charts, hit parade
die Maxisingle, -s	12-inch single
die Party, -s	party
die Versammlung, -en	meeting, gathering

❒ **Useful words** *(nt)*

das Album, Alben	album
das Damespiel	draughts
das Feriendorf, ¨-er	holiday camp
das Ferienlager	school camp
das Freizeitzentrum, -zentren	leisure centre
das Gleitschirmfliegen	paragliding
das Jugendzentrum, -zentren	youth centre
das Kegeln	bowling
das Kreuzworträtsel	crossword (puzzle)
das Lied, -er	song
das Skateboard, -s	skateboard
das Snowboard, -s	snowboard
das Surfen	surfing

Useful phrases

ich interessiere mich für (+ *acc*) *I am interested in . . .*
eine Party geben *to have a party*
hast du Lust, zu meiner Party zu kommen? *do you fancy coming to my party?*

❐ Essential + important words *(m)*

der Apfel, ∴	apple
der Apfelbaum, (-bäume)	apple tree
der Birnbaum, (-bäume)	pear tree
der Obstbaum, (-bäume)	fruit tree
der Obstgarten, ∴	orchard
der Pfirsich, -e	peach
der Pfirsichbaum, (-bäume)	peach tree
der Weinstock, ∴e	vine

❐ Essential + important words *(f)*

die Apfelsíne, -n	orange
die Banane, -n	banana; banana tree
die Birne, -n	pear
die Erdbeere, -n	strawberry
eine Frucht, ∴e	*(a piece of)* fruit
die Himbeere, -n	raspberry
die Kirsche, -n	cherry
die Melone, -n	melon
die Olive, -n	olive
die Orange, -n	orange; orange tree
die Pflaume, -n	plum
die Schale, -n	skin; peel; shell
die (Wein)traube, -n	grape; bunch of grapes
die Zitrone, -n	lemon

❐ Essential words *(nt)*

das Kompott, -e	stewed fruit
das Obst	fruit
das Stück Obst	piece of fruit

Useful phrases

reif *ripe;* **unreif** *not ripe;* **süß** *sweet;* **bitter** *sour, bitter*
hart *hard;* **weich** *soft;* **saftig** *juicy*
pflücken *to pick;* **sammeln** *to gather*
essen *to eat;* **beißen** *to bite*
blaue/grüne Trauben *black/green grapes*

❐ **Useful words** (m)

der Granatapfel, ⸚	pomegranate
der Kern, -e	pip, stone (*in fruit*)
der Nussbaum, (-bäume)	walnut tree
der Rhabarber	rhubarb
der Walnussbaum, (-bäume)	walnut tree
der Weinberg, -e	vineyard
der Weinstock, ⸚e	vine

❐ **Useful words** (f)

die Ananas, - *or* -se	pineapple
die Aprikose, -n	apricot; apricot tree
die Backpflaume, -n	prune
die Beere, -n	berry
die Brombeere, -n	blackberry, bramble
die Dattel, -n	date
die Erdnuss, ⸚e	peanut
die Feige, -n	fig
die Grapefruit	grapefruit
die Haselnuss, ⸚e	hazelnut
die Heidelbeere, -n	bilberry
die Johannisbeere, -n	redcurrant
die Schwarze Johannisbeere, -n -n	blackcurrant
die Kastanie, -n	chestnut; chestnut tree
die Kiwi, -s	kiwi (fruit)
die Kokosnuss, ⸚e	coconut
die Mandarine, -n	tangerine
die Nuss, ⸚e	nut
die Pampelmuse, -n	grapefruit
die Passionsfrucht, ⸚e	passion fruit
die Stachelbeere, -n	gooseberry
die Traube, -n	grape; bunch of grapes
die Traubenlese	grape harvest, vintage
die Walnuss, ⸚e	walnut
die (Wein)rebe, -n	vine
die Zwetsch(g)e, -n	plum

❒ Essential words *(m)*

der Fernsehapparat, -e *or* der Fernseher	television set
der Fernsprecher	telephone
der Herd, -e	cooker
der Kassettenrekorder	cassette recorder
der Kleiderschrank, ¨e	wardrobe
der Kühlschrank, ¨e	fridge, refrigerator
der Plattenspieler	record player
der Raum, Räume	room
der Schrank, ¨e	cupboard
der Sessel	armchair
der Stuhl, ¨e	chair
der Tisch, -e	table
der Wecker	alarm clock

❒ Essential words *(f)*

die Lampe, -n	lamp
die Stehlampe, -n	standard lamp, floor lamp
die Stereoanlage, -n	stereo system
die Uhr, -en	clock
die Waschmaschine, -n	washing machine

❒ Essential words *(nt)*

das Bett, -en	bed
das Bild, -er	picture, painting
das Haus, Häuser	house
das Sofa, -s	settee, couch
das Telefon, -e	telephone
das Zimmer	room

> **Useful phrases**
>
> **fernsehen** *to watch television;* **im Fernsehen** *on television*
> **telefonieren** *to telephone;* **anrufen** *to phone, call*
> **Musik hören** *to listen to music*
> **programmieren** *to program*

❒ **Important words** *(m)*

der Elektroherd, -e	electric cooker
der Gasherd, -e	gas cooker
der Nachttisch, -e	bedside table
der Ofen, ⸚	oven
der Spiegel	mirror
der Stecker	plug
der Strom	(electricity) current
der Videorekorder	video recorder

❒ **Important words** *(f)*

die Kuckucksuhr, -en	cuckoo clock
die Schreibmaschine, -n	typewriter
die Spülmaschine, -n	dishwasher
die Steckdose, -n	(wall) socket

❒ **Important words** *(nt)*

das (Bücher)regal, -e	bookcase, bookshelves
das Fax, -e	fax
das Handy, -s	mobile phone
das Klavier, -e	piano
die Möbel *(pl)*	furniture
das Möbel(stück)	piece of furniture
das Regal, -e	(set of) shelves
das Videogerät, -e	video (recorder)
das Walkman®	personal stereo, Walkman®

> **Useful phrases**
>
> **ein Zimmer möblieren** *to furnish a room*
> **ein möbliertes Zimmer** *a furnished room*
> **bequem** *comfortable;* **unbequem** *uncomfortable*
> **in dem Zimmer ist es sehr eng** *the room is very cramped*
> **den Tisch decken/abräumen** *to lay or set/to clear the table*
> **das Bett machen** *to make the bed*
> **ins Bett gehen, zu Bett gehen** *to go to bed*

❐ Useful words *(m)*

der Anrufbeantworter	answering machine
der Backofen, ⸚	oven
der Bücherschrank, ⸚e	bookcase
der Couchtisch, -e	coffee table
der Esstisch, -e	dining table
der Frisiertisch, -e	dressing table
der Heizofen, ⸚	fire, heater
der Hocker	stool
der Kabelanschluss, ⸚e	cable connection
der Lehnsessel *or* der Lehnstuhl, ⸚e	armchair
der Mikrowellenherd, -e	microwave oven
der Möbelwagen	furniture van, removal van
der Nachtspeicherofen	(night-)storage heater
der Radiowecker	clock radio
der Rahmen	frame
der Satz (⸚e) Tische	nest of tables
der Schaukelstuhl, ⸚e	rocking chair
der Schirmständer	umbrella stand
der Schnellkochtopf, ⸚e	pressure cooker
der Schreibtisch, -e	writing desk
der Sekretär, -e	bureau, writing desk
der Staubsauger	vacuum cleaner, Hoover®
der Teewagen	trolley
der Umzug, ⸚e	removal
der Wäschetrockner	tumble dryer

Useful phrases

sitzen *to sit, be sitting;* **sich setzen** *to sit down*
sich hinlegen *to lie down;* **sich ausruhen** *to rest*
ein Zimmer ausräumen *to clear out a room*
ein Zimmer aufräumen *or* **in Ordnung bringen** *to tidy up
    a room*
putzen *to clean;* **abstauben** *to dust;* **staubsaugen** *to hoover*

❐ Useful words (f)

die Anrichte, -n	dresser; sideboard
die Antenne, -n	aerial
die Einrichtung	furnishings (pl)
die Fernbedienung, -en	remote control
die Gefriertruhe, -n	freezer
die Kommode, -n	chest of drawers
die Matratze, -n	mattress
die Nähmaschine, -n	sewing machine
die Satellitenantenne, -n	satellite dish
die Schublade, -n	drawer
die Spedition, -en	removal firm
die Standuhr, -en	grandfather clock
die Tiefkühltruhe, -n	freezer, deep freeze
die Truhe, -n	chest, trunk
die Videokamera, -s	video camera
die Wäscheschleuder, -n	spin dryer
die Waage, -n	(bathroom) scales
die Wiege, -n	cradle

❐ Useful words (nt)

das Bord, -e	shelf
das Etagenbett, -en	bunk bed
das Gemälde	painting, picture
das Gerät, -e	appliance
das Kinderbettchen	cot
das Rollo, -s or	blind
das Rouleau, -s	
das Schubfach, ⁻er	drawer
das schnurlose Telefon, -n -e	cordless telephone
das Tonbandgerät, -e	tape recorder

Useful phrases

elektrisch *electric;* **anmachen, einschalten** *to turn or switch on*
ausmachen, ausschalten *to turn or switch off*
es funktioniert nicht *it's not working*
heizen *to heat;* **gemütlich** *comfortable, cosy*

die Alpen (pl)	the Alps
Antwerpen (nt)	Antwerp
der Ärmelkanal	the English Channel
der Atlantik or	the Atlantic (Ocean)
der Atlantische Ozean	
Basel (nt)	Basle
Bayern (nt)	Bavaria
Berlin (nt)	Berlin
der Bodensee	Lake Constance
die Britischen Inseln (fpl)	the British Isles
Brüssel (nt)	Brussels
die Donau	the Danube
Edinburg (nt)	Edinburgh
die Elbe	the (river) Elbe
das Elsass (nt)	Alsace
der Ferne Osten	the Far East
Genf (nt)	Geneva
der Genfer See	Lake Geneva
Gent (nt)	Ghent
DenHaag (nt)	The Hague
Hannover (nt)	Hanover
Kairo (nt)	Cairo
die Kanalinseln (fpl)	the Channel Islands
Köln (nt)	Cologne
Korsika (nt)	Corsica
Lissabon (nt)	Lisbon
Lothringen (nt)	Lorraine
Mailand (nt)	Milan
Mallorca (nt)	Majorca
das Mittelmeer	the Mediterranean
die Mosel	Moselle
Moskau (nt)	Moscow
München (nt)	Munich
der Nahe Osten	the Middle East
die Nordsee	the North Sea
die Ostsee	the Baltic Sea
der Pazifik or	the Pacific (Ocean)
der Pazifische Ozean	
Peking (nt)	Beijing
die Pyrenäen (pl)	the Pyrenees

der Rhein	the Rhine
Rom (*nt*)	Rome
der Schwarzwald	the Black Forest
die Seine	the Seine
der Stille Ozean	the Pacific Ocean
die Themse	the Thames
Venedig (*nt*)	Venice
der Vesuv	Mount Vesuvius
Warschau (*nt*)	Warsaw
Wien (*nt*)	Vienna
die Wolga	the Volga

Useful phrases

Athener, -in *an Athenian*
Bas(e)ler, -in *a person from Basle*
Bayer, -in *a Bavarian*
Böhme, Böhmin *a person from Bohemia*
Elsässer, -in *a person from Alsace, an Alsatian*
Flame, Flamin or **Flämin** *a person from Flanders, a Fleming*
Friese, Friesin *a person from Frisia, a Frisian*
Hamburger, -in *a person from Hamburg*
Hannoveraner, -in *a person from Hanover, a Hanoverian*
Hesse, Hessin *a person from Hesse*
Indianer, -in *an (American) Indian*
Londoner, -in *a Londoner*
Moskauer, -in *a person from Moscow, a Muskovite*
Münch(e)ner, -in *a person from Munich*
Neapolitaner, -in *a Neapolitan*
Pariser, -in *a Parisian*
Preuße, Preußin *a Prussian*
Rheinländer, -in *a Rheinlander*
Römer, -in *a person from Rome, a Roman*
Sachse, Sächsin *a person from Saxony*
Schwabe, Schwäbin *a person from Swabia*
Tiroler, -in *a person from the Tyrol*
Venezianer, -in *a Venetian*
Westfale, Westfälin *a Westphalian*
Wiener, -in *a person from Vienna, a Viennese*

❐ Greetings and Farewells

guten Tag! *good day, hello; good afternoon*
guten Morgen! *good morning*
guten Abend! *good evening*
gute Nacht! *good night (when going to bed)*
auf Wiedersehen! *goodbye*
auf Wiederhören! *goodbye (on phone)*
hallo! tschüss! *bye!;* **servus** *hello; goodbye*
grüß Gott! *hello*
wie geht's?; wie geht es Ihnen? *how are things?*
gut, danke; es geht mir gut, danke *very well, thank you*
sehr angenehm *pleased to meet you*
bis später *see you later*
bis morgen *see you tomorrow*

❐ Best Wishes

ich gratuliere! *congratulations!*
alles Gute *all the best, best wishes*
herzlichen Glückwunsch *congratulations, best wishes*
alles Gute zum Geburtstag *happy birthday*
alles Gute zum Hochzeitstag *congratulations on your wedding day*
viel Glück *all the best; the best of luck*
machs gut! *take care*
fröhliche Weihnachten *merry Christmas*
gutes neues Jahr *happy New Year*
guten Appetit! *have a good meal, enjoy your meal*
prost!; zum Wohl! *cheers; good health!*
Gesundheit! *bless you! (after a sneeze)*
viel Spaß! *have a good time, enjoy yourself etc*
schlaf gut! *sleep well*
gut geschlafen? *did you sleep well?*

grüßen, begrüßen *to greet, welcome*
sich verabschieden *to say goodbye, take one's leave*
(sich) vorstellen *to introduce (oneself)*

❐ Surprise

ach du meine Güte *oh my goodness, oh dear*
so?, wirklich? *really?*
so, so! *well, well!*; **ach so!** *oh I see!*
na, so etwas! *you don't say!*
wie? *what?*
was für ein Glück! *what a piece of luck!*

❐ Politeness

bitte *please, excuse me*
danke *thank you*; **nein danke** *no thank you*
ja bitte, bitte ja *yes please*
tu das ja nicht *don't do that*
danke schön, danke sehr, vielen Dank *thank you very much, many thanks*
nichts zu danken *don't mention it*
bitte schön, bitte sehr *don't mention it*
gern geschehen *my pleasure, don't mention it*
entschuldigen Sie, Entschuldigung *excuse me; I'm sorry*
verzeihen Sie, Verzeihung *I'm sorry, I beg your pardon*
pardon *excuse me, I'm sorry*
das macht nichts *it doesn't matter*
(wie) bitte? *(I beg your) pardon?*
hier bitte, bitte schön, bitte sehr *there you are*
mit Vergnügen *with pleasure*
machen Sie keine Umstände *don't go to any trouble*

❐ Warnings

Achtung! *watch out!*; **Vorsicht!** *be careful!*
pass auf! *look out!, watch out!*
halten Sie! stop!
Feuer! *fire!*; **haltet den Dieb!** *stop thief!*
Ruhe!, ruhig! *be quiet!*; **halt den Mund!** *shut up!*
herein! *come in!*; **hinaus!** *get out!*
beeile dich! *hurry up!*; **hau ab!** *clear off!*
geh mir aus dem Weg! *get out of my way!*

❐ Agreement and Disagreement

ja *yes;* **doch** *yes (when contradictory)*
nein *no*
jawohl *yes indeed*
natürlich *of course*
natürlich nicht, aber nein *of course not*
nicht wahr? *isn't that right?*
in Ordnung *O.K., all right*
gut *good, O.K.*
na gut, also gut *O.K. then, all right then*
schön *fine*
einverstanden! *agreed!*
genau, ganz recht *exactly*
desto besser *so much the better*
ich habe nichts dagegen *I don't mind or object*
das ist mir gleich *or* **einerlei** *or* **egal** *I don't mind, it's all the
    same to me, it's all one to me*
das stimmt *that's right*
das stimmt nicht *that doesn't make sense*
im Gegenteil *on the contrary*
nie!, um nichts in der Welt! *never!, not on your life!*
kümmern Sie sich um Ihre eigenen Dinge! *mind your own
    business!*
nieder mit . . . *down with . . .*

❐ Distress

Hilfe! *help!*
ach je! *oh dear!*
ach!, o weh! *alas!*
was ist los (mit dir)? *what's the matter (with you)?, what's wrong (with you)?*
leider (nicht) *unfortunately (not)*
es tut mir Leid *I'm sorry*
es tut mir wirklich Leid *I'm really sorry*
wie schade *what a pity*
das ist Pech *it's a shame, that's bad luck*
verflixt (noch mal)! *blow!, drat!, dash it!*
verflucht!, verdammt! *damn!*
ich habe es satt *I'm fed up with it*
ich kann ihn nicht ausstehen *I can't stand him*
was soll ich tun? *what shall I do?*
wie ärgerlich! *what a nuisance!, how annoying!*

❐ Other Expressions

vielleicht *perhaps, maybe*
ich weiß nicht *I don't know*
(ich habe) keine Ahnung *(I've) no idea*
ich weiß da nicht Bescheid *I don't know (anything about it)*
ich weiß nicht genau *I don't know exactly*
das kann ich mir vorstellen *I can believe that*
schade! *shame!*
mein Gott! *good Lord!*
(ach) du lieber Himmel! *(good) heavens!, goodness gracious!*
prima! *great!*
klasse! *terrific!, marvellous!*
machen Sie sich keine Sorgen *don't worry*
aber wirklich! *well really!*
du machst wohl Witze *you must be joking or kidding!*
so eine Frechheit! *what a nerve or cheek!*
armes Ding! *poor thing!*

❐ Essential words *(m)*

der Arzt, ∵e	doctor, G.P.
der Durchfall	diarrhoea
die Kopfschmerzen *(pl)*	a headache
Kranke(r), -n	patient
der Krankenwagen	ambulance
der Zahnarzt, ∵e	dentist

❐ Essential words *(f)*

die Allergie, -n	allergy
die Ärztin	doctor, G.P.
die Erkältung, -en	cold; chill
die erste Hilfe	first aid
die Gesundheit	health
die Grippe	flu, influenza
die Klinik, -en	hospital, clinic
die Krankenschwester, -n	nurse
die Krankheit, -en	illness
die Lebensgefahr	danger (to life)
die Medizin	(science of) medicine
die Pille, -n	pill
die Tablette, -n	tablet, pill
die Temperatur, -en	temperature
die Verstopfung, -en	constipation

❐ Essential words *(nt)*

das Fieber	fever, (high) temperature
das Heimweh	homesickness
das Kopfweh	headache
das Krankenhaus, (-häuser)	hospital

Useful phrases

krank *ill;* **gesund** *healthy;* **wohl** *well*
schwach *weak;* **atemlos** *breathless*
müde *tired;* **schwindlig** *dizzy;* **blass** *pale*
sich erkälten *to catch cold;* **erkältet sein** *to have a cold*
husten *to cough;* **niesen** *to sneeze;* **schwitzen** *to sweat*

❏ **Important words** *(m)*

der Apotheker	(dispensing) chemist
der Atem	breath
der Auslandskranken-schein, -e	E 111 form
die Bauchschmerzen *(pl)*	stomach-ache
der Gips	plaster; plaster of Paris
die Halsschmerzen *(pl)*	a sore throat
der Husten	cough
der Krankenpfleger	(male) nurse
der Krankenschein, -e	health insurance card
der Krebs	cancer
die Magenschmerzen *(pl)*	stomach-ache
der Operationssaal, (-säle)	operating theatre
der Patient, -en	patient
der Schmerz, -en	pain, ache
der Schnupfen	cold *(in the head)*
der Schweiß	sweat
der Sonnenbrand, ̈-e	sunburn
der Tod, -e	death
der Tropfen	drop
der Verband, ̈-e	bandage, dressing
die Zahnschmerzen *(pl)*	toothache

❏ **Important words** *(f)*

die Behandlung	treatment
die Feuerwehr, -en	fire brigade
die Krankenkasse, -n	health insurance
die Kur, -en	health cure
die Operation, -en	operation
die Patientin	patient
die Ruhe	rest
die Sorge, -n	care, worry
die Spritze, -n	syringe; injection
die Untersuchung, -en	medical examination
die Verletzung, -en	injury
die Versichertenkarte, -n	health insurance card
die Wunde, -n	wound

❐ **Important words** *(nt)*

das Aids	AIDS, aids
das Aspirin	aspirin
das Blut	blood
das Heftpflaster	sticking plaster
das Kondom, -e	condom
das Medikament, -e	medicine
das Rezept, -e	prescription
das Thermometer	thermometer
das Verhütungsmittel	contraceptive

❐ **Useful words** *(f)*

die Abmagerungskur, -en	*(slimming)* diet
die Akne	acne
die Blase, -n	blister; bladder
die Blinddarmentzündung, -en	appendicitis
die Blutübertragung, -en	blood transfusion
die Chemotherapie, -n	chemotherapy
die Diät, -en	(special) diet
die Droge, -n	drug
die Epidemie, -n	epidemic
die Genesung	recovery
die Kraft, ¨e	strength, power
die Magenverstimmung	stomach upset
die Mandelentzündung	tonsillitis
die Masern *(pl)*	measles
die Migräne	migraine
die Narbe, -n	scar
die Poliklinik, -en	health centre
die Röntgenaufnahme, -n	X-ray
die Röteln *(pl)*	German measles
die Salbe, -n	ointment, cream
die Schwangerschaft, -en	pregnancy
die Station, -en	ward
die Übelkeit	sickness, vomiting
die Watte	cotton wool
die Windpocken *(pl)*	chickenpox

❏ Useful words *(m)*

der Bazillus, Bazillen	germ
der blaue Fleck, -n -en	bruise
der Blutdruck	blood pressure
der Drogenmissbrauch	drug abuse
der Fußpilz	athlete's foot
der Heuschnupfen	hayfever
HIV-Infizierte(r), -n	person who is HIV-positive
der Kratzer	scratch
der Mumps	mumps
der Puls	pulse
der Rollstuhl, ¨e	wheelchair
der Schlaganfall, ¨e	stroke
der Schock, -s	shock
der Sonnenstich, -e	sunstroke
der Stress	stress
der Stich, -e	sting

❏ Useful words *(nt)*

das Altersheim, -e	old people's home
das Antibiotikum, -ka	antibiotic
das Gift, -e	poison
das Hansaplast®	Elastoplast®
das Sprechzimmer	surgery, consulting room
das Wartezimmer	waiting room

Useful phrases

fallen, stürzen *to fall;* **brechen** *to break*
ich bin mit dem Auto verunglückt *I've had an accident with the car*
was fehlt Ihnen? *what's the matter with you?*
es blutet *it's bleeding;* **es tut weh** *it hurts*
verletzt *injured, hurt;* **verwundet** *wounded*
sich übergeben *to vomit, be sick*
untersuchen *to examine;* **verbinden** *to bandage*
pflegen *to look after, nurse;* **behandeln** *to treat*
verschreiben *to prescribe;* **gute Besserung!** *get well soon!*
sich erholen *to recover;* **sterben** *to die;* **tot** *dead*

❏ Essential words *(m)*

der (Farb)fernseher	(colour) television set
der Gast, ¨-e	guest
der Gasthof, ¨-e	hotel, inn
der Kellner	waiter
der Koch, ¨-e	cook
der Koffer	case, suitcase
der Lift, -e *or* -s	lift
der Notausgang, ¨-e	emergency exit
der Reisepass, ¨-e	passport
der Schalter	switch
der Scheck, -s	cheque
der Schlüssel	key
der Stock, Stockwerke	floor, storey
der Tag, -e	day
der Weinkellner	wine waiter
der Zuschlag, ¨-e	extra charge

❏ Essential words *(f)*

die Anmeldung	registration
die Antwort, -en	answer
die Bar, -s	bar
die Bedienung	service; service charge
die Dusche, -n	shower
die Halbpension	half board
die Kellnerin	waitress
die Köchin	cook
die Mahlzeit, -en	meal
die Nacht, ¨-e	night
die Pension, -en	guest-house, boarding house
die Rechnung, -en	bill
die Tasche, -n	bag
die Toilette, -n	toilet
die Übernachtung mit Frühstück	bed and breakfast
die Vollpension	full board
die Woche, -n	week

❏ **Essential + important words** *(nt)*

das Badezimmer	bathroom
das Café, -s	café
das Doppelbett, -en	double bed
das Doppelzimmer	double room
das Einzelzimmer	single room
das Erdgeschoss, -e	ground floor, ground level
das (Farb)fernsehen	(colour) television
das Formular, -e	form
das Freibad, ̈-er	open-air swimming pool
das Fremdenzimmer	guest room
das Frühstück, -e	breakfast
das Gasthaus, (-häuser)	inn, hotel
das Gepäck	luggage
das Hotel, -s	hotel
das Kleingeld	small change
das Mittagessen	lunch
das Restaurant, -s	restaurant
das Speisezimmer	dining room
das (Tele)fax, -e	fax
das Telefon, -e	telephone
das Treppenhaus, (-häuser)	staircase
das Wirtshaus, (-häuser)	inn
das Zimmer	room
das Zimmermädchen	chambermaid

Useful phrases

einpacken *to get packed;* **auspacken** *to get unpacked*
ich habe schon gebucht *I have already booked*
eine Reservierung bestätigen *to confirm a reservation*
sich in einem Hotel anmelden *to book in at a hotel*
ich möchte hier übernachten *I'd like a room for the night here*
ein Formular ausfüllen *to fill in a form*
3 Tage bleiben *to stay for 3 days*

❐ **Important words** *(m)*

der Aufenthalt, -e	stay
der Aufzug, ̈e	lift
der Balkon, -s *or* -e	balcony
der Blick, -e	view
der Empfangschef, -s	receptionist, reception clerk
der Feuerlöscher	fire extinguisher
der Gepäckträger	porter
der Hotelier, -s	hotelier, hotel-keeper
der Mehrwertsteuer	value added tax
der Prospekt, -e	leaflet, brochure
der Reiseführer	guide-book; travel guide *(person)*
der Reiseleiter	travel courier
der Stern, -e	star

❐ **Important words** *(f)*

die Aussicht, -en	view
die Empfangsdame, -n	receptionist
die Garderobe, -n	cloakroom
die Gaststätte, -n	restaurant; pub
die Kneipe, -n	pub
die Nummer, -n	number
die Rezeption, -en	reception, reception desk
die Terrasse, -n	terrace
die Unterkunft, (-künfte)	accommodation
die Veranstaltung, -en	organization

❐ Useful words *(m)*

der Brand, ⁻e	fire
der (Gast)wirt, -e	owner, innkeeper, landlord
der Ober	waiter
der Oberkellner	head waiter

❐ Useful words *(f)*

die (Gast)wirtin	owner, innkeeper, landlady
die Vorhalle, -n	foyer

❐ Useful words *(nt)*

das Foyer	foyer
das Kellergeschoss, -e	basement
das Schwimmbecken	swimming pool
das Stockwerk, -e	floor, storey
das Trinkgeld, -er	tip
das Wechselgeld	change
das Zweibettzimmer	twin-bedded room

Useful phrases

ich möchte ein Zimmer mit Dusche/mit Bad *I'd like a room with a shower/with a bath*

was kostet es?, wie teuer ist es? *how much is it?*

das ist ziemlich teuer *that is rather expensive*

das Zimmer hat Aussicht or **Blick auf den Strand** *the room overlooks the beach*

im ersten/zehnten Stock *on the first/tenth floor*

im Erdgeschoss *on the ground floor, on ground level*

Herr Ober! *waiter!*

Fräulein! *excuse me, miss!*

„Bedienung inbegriffen" *"service included"*

„inklusive Bedienung" *"inclusive of service"*

„Sie brauchen nur zu klingeln" *"just ring"*

„Zimmer frei" *"vacancies"*

❏ Essential words (m)

der Bungalow, -s	bungalow
der Flur, -e	(entrance) hall
der (Fuß)boden, ¨	floor
der Garten, ¨	garden
der Haushalt	household
der Hof, ¨e	yard
der Keller	cellar
der Mieter	tenant
der Park, -s	public park
der Parkplatz, ¨e	parking space
der Raum, Räume	room; space
der Schlüssel	key
der Speisesaal, (-säle)	dining room
der Stein, -e	stone
der Stock, Stockwerke	floor, storey

❏ Essential words (f)

die Adresse, -n	address
die Dusche, -n	shower
die Familie, -n	family
die Garage, -n	garage
die Hausfrau, -en	housewife
die Haustür, -en	front door
die Küche, -n	kitchen; cooking
die Miete, -n	rent
die Stadt, ¨e	town
die Straße, -n	street, road
die Toilette, -n	toilet
die Treppe, -n	stairs, staircase
die Tür, -en	door
die Wand, ¨e	(inside) wall
die Wohnung, -en	flat

Useful phrases

in der Stadt/auf dem Lande wohnen *to live in the town/ in the country*
mieten *to rent*; bauen *to build*; besitzen *to own*

❏ Essential words *(nt)*

das Bad, ⁻er; das Badezimmer	bathroom
das Doppelhaus, (-häuser)	semi-detached (house)
das Dorf, ⁻er	village
das Einfamilienhaus, (-häuser)	detached house
das Erdgeschoss, -e	ground floor, ground level
das Esszimmer	dining room
das Fenster	window
das Haus, Häuser	house
das Klo (Klosett)	toilet, loo
das Reihenhaus, (-häuser)	terraced house
das Schlafzimmer	bedroom
das Schloss, ⁻er	lock
das Treppenhaus	staircase
das Wohnzimmer	lounge, living room
das Zentrum, Zentren	centre
das Zimmer	room

❏ Important words *(nt)*

das Dach, ⁻er	roof
das Gebäude	building
das Gebiet, -e	area
das Hochhaus, (-häuser)	high-rise (building)
die Möbel *(pl)*	furniture
das Möbel(stück)	piece of furniture
das Parkett, -e	wooden *or* parquet floor
das Tor, -e	gate

❏ Useful words *(nt)*

das Arbeitszimmer	study
das Dachfenster	skylight
das Gästezimmer	spare room, guest room
das Kellergeschoss, -e	basement
das Oberlicht, -er	skylight
das Stockwerk, -e	floor, storey

❒ **Important words** *(m)*

der Aufzug, ⸚e	lift
der Balkon, -s *or* -e	balcony
der Bezirk, -e	district
der Dachboden ⸚	attic, loft
der Einwohner	inhabitant
der Gang, ⸚e	corridor
der Kamin, -e	chimney; fireplace
der Landkreis, -e	region
der Nachbar, -n	neighbour
der Rasen	lawn; grass
der Vorort, -e	suburb

❒ **Important words** *(f)*

die Anlage, -n	layout
die Aussicht, -en	view
die Decke, -n	ceiling
die Gegend, -en	district, area
die Kohle, -n	coal
die Lage, -n	position, situation
die Mauer, -n	*(outside)* wall
die Nachbarin	neighbour
die Telefonnummer, -n	phone number
die Terrasse, -n	patio
die Türklingel, -n	doorbell
die Umgebung, -en	surroundings *(pl)*
die Zentralheizung, -en	central heating

Useful phrases

es klopft *somebody's knocking at the door*
es klingelt *somebody's ringing the doorbell*
im ersten/dritten Stock *on the first/third floor*
im Erdgeschoss *on the ground floor, on ground level*
oben *upstairs;* **unten** *downstairs*
zu Hause, daheim *at home*
umziehen *to move (house);* **einziehen** *to move in*
sich einleben *to settle down, settle in*

❏ Useful words (m)

der Besitzer	owner
der (Fenster)laden, ¨-e	shutter
der or das (Fenster)sims, -e	window sill or ledge
der Hausmeister	caretaker
der Hauswirt, -e	landlord
der or das Kaminsims, -e	mantelpiece
der Korridor, -e	corridor
der Rauch	smoke
der Schornstein, -e	chimney
der (Treppen)absatz, ¨-e	landing
der Umzug, ¨-e	removal
der Wintergarten, ¨-	conservatory
der Wohnblock, -s	block of flats
der Zaun, Zäune	fence

❏ Useful words (f)

die Allee, -n	avenue
die Antenne, -n	aerial
die Einrichtung, -en	furnishings (pl)
die Etagenwohnung, -en	flat
die Fensterscheibe, -n	window pane
die Fliese, -n	tile
die Gasse, -n	lane (in town)
die Hecke, -n	hedge
die Jalousie, -n	venetian blind
die Kachel, -n	(wall) tile
die Kellerwohnung, -en	basement flat
die Mansarde, -n	attic
die Putzfrau, -en	cleaner
die Rumpelkammer, -n	box room, junk room
die Stube, -n	room
die (Tür)stufe, -n	(door)step
die Verandatür, -en	French window
die (Wohn)siedlung, -en	housing estate

❏ **Essential words** (m)

der Briefkasten, ⸚	letterbox
der Fernsehapparat, -e *or*	television set
der Fernseher	
der Föhn, -e	hair-drier
der Knopf, ⸚e	knob, button
der Kühlschrank, ⸚e	fridge
der Schalter, -	switch
der Schrank, ⸚e	cupboard
der Topf, ⸚e	pot
der Wecker	alarm clock

❏ **Essential words** (f)

die Bürste, -n	brush
die Dusche, -n	shower
die Farbe, -n	paint; colour
die Gardine, -n	curtain
die Hausarbeit	housework
die Kanne, -n	jug; pot
die Lampe, -n	lamp
die Sachen (*pl*)	things
die Seife	soap
die Zahnbürste, -n	toothbrush
die Zahncreme, -s *or*	toothpaste
die Zahnpasta, -pasten	

❏ **Essential words** (nt)

das Bild, -er	picture, painting
das Handtuch, ⸚er	towel
das Licht, -er	light
das Poster	poster
das Wasser	water

Useful phrases

die Hausarbeit machen to do the housework
duschen to have a shower; **baden** to have a bath

❏ **Important words** *(m)*

der Abfall, ⁀e	rubbish, refuse
der Abfalleimer	rubbish bin
der Aschenbecher	ashtray
der Haartrockner	hair-drier
der Kamm, ⁀e	comb
der Rasierapparat, -e	razor
der Spiegel	mirror
der Teppich, -e	carpet
der Vorhang, ⁀e	curtain
der (Wasser)hahn, ⁀e	tap

❏ **Important words** *(f)*

die (Bade)wanne, -n	bath
die (Bett)decke, -n	blanket, cover
die Bettwäsche	bed linen
die Birne, -n	(light) bulb
die Bratpfanne, -n	frying pan
die Elektrizität	electricity
die Kerze, -n	candle

❏ **Important words** *(nt)*

das Federbett, -en	continental quilt
das Feuer	fire
das Gas	gas
das Geschirr	crockery; pots and pans
das Kissen	cushion; pillow
das Kopfkissen	pillow
das Putzen	cleaning
das Rezept, -e	recipe
das Shampoo, -s	shampoo
das Spülbecken	sink
das Tablett, -e	tray
das Waschbecken	washbasin

❑ **Useful words** *(m)*

der Besen	broom
der Bettvorleger	bedside rug
der Dampfkochtopf, ⁻e	pressure cooker
der Deckel	lid
der Eimer	bucket
der Griff, -e	handle *(of door etc)*
der Handbesen or der Handfeger	brush
der Heizkörper	radiator
der Henkel	handle *(of jug etc)*
der Kachelofen, ⁻	tiled stove
der Kessel	kettle
der Kleiderbügel	coat hanger
der Krug, ⁻e	jug
der Mixer	(electric) blender
der Müll	rubbish, refuse
der Mülleimer	dustbin
der Papierkorb, ⁻e	waste paper basket
der Pinsel	paintbrush; brush
der Rasierpinsel	shaving brush
der Schmutz	dirt
der Schneebesen	whisk, egg beater
der Schwamm, ⁻e	sponge
der Staub	dust
der Staubsauger	vacuum cleaner, Hoover®
der Teppichboden, ⁻	fitted carpet
der Toaster	toaster
der Ziergegenstand, ⁻e	ornament

Useful phrases

sein eigenes Zimmer haben *to have a room of one's own*
die Tür aufmachen/zumachen, die Tür öffnen/schließen
  to open/close the door
das Zimmer betreten *to go into the room*
putzen *to clean;* **abstauben** *to dust;* **staubsaugen** *to hoover*
bürsten *to brush;* **waschen** *to wash;* **bügeln** *to iron*

❑ Useful words *(f)*

die Brücke, -n	(narrow) rug
die Daunendecke, -n	eiderdown
die Fußmatte, -n	doormat
die Heizdecke, -n	electric blanket
die Kaffeemühle, -n	coffee grinder
die Leiter, -n	ladder
die Matte, -n	mat
die Nackenrolle, -n	bolster
die Rasierklinge, -n	razor blade
die Röhre, -n	pipe
die Rührmaschine, -n	(electric) mixer
die Satellitenantenne, -n	satellite dish
die Steppdecke, -n	(continental) quilt
die Tapete, -n	wallpaper
die Vase, -n	vase
die Waage, -n	(set of) scales
die Wäscheschleuder, -n	spin dryer

❑ Useful words *(nt)*

das Abwaschtuch, ¨-er	dish cloth
das Bügelbrett, -er	ironing board *or* table
das Bügeleisen	iron
das Dampfbügeleisen	steam iron
das Gemälde	painting, picture
das Geschirrtuch, ¨-er	dish cloth; tea towel
das Polster	cushion; pillow
das Rohr, -e	pipe
das Seifenpulver	soap powder
das Staubtuch, ¨-er	duster

❏ Essential words (m)

der Absender (Abs.)	sender
der Anruf, -e	telephone call
der Bescheid, -e	information
der Brief, -e	letter
der Briefkasten, ⁓	postbox, pillar box
der Briefträger	postman
der Fernsprecher	telephone
der Geldbeutel	purse
der Kugelschreiber; der Kuli, -s	ballpoint pen, Biro®
der Kurs, -e	rate
der Name, -n	name
der Polizist, -en	policeman
der Preis, -e	price, cost
der (Reise)scheck, -s	(traveller's) cheque
der Schalter	counter
der Schilling, - or -e	schilling
der (Telefon)hörer	(telephone) receiver
der Telefonist, -en	operator, telephonist
der Umschlag, ⁓e	envelope
der Vorname, -n	first name, Christian name

Useful phrases

entschuldigen Sie bitte – wo ist der nächste Briefkasten?
excuse me – where is the nearest postbox?
kennst du dich hier aus? *do you know this place (well)?*
wo bekomme ich Auskunft? *where can I get some information?*
ist es (nach Bremen) noch weit? *do we have far to go (to Bremen)?*
wie komme ich zum Bahnhof? *how do I get to the station?*
geradeaus *straight on*
die erste Straße links *the first street on the left*
die dritte Straße rechts *the third street on the right*
links/rechts abbiegen *to turn left/right*
2 Kilometer nördlich der Stadtmitte *2 kilometres north of the town centre*

❏ Essential words *(f)*

die Adresse, -n *or*	address
die Anschrift, -en	
die Ansichtskarte, -n	picture postcard
die Auskunft, ⁼e	information; directory enquiries
die Bank, -en	bank
die Bezahlung, -en	payment
die Briefkarte, -n	letter card
die Briefmarke, -n	(postage) stamp
die Einladung, -en	invitation
die (Hand)tasche, -n	(hand)bag
die Kasse, -n	cash desk; check-out; till
die Mark	mark
die Münze, -n	coin
die Paketpost	parcel post
die Polizei	police
die Polizeiwache, -n	police station
die Polizistin	policewoman
die Post	post, mail
die Postkarte, -n	postcard
die Reparatur, -en	repair, repairing
die Rückgabe, -n	return
die Sparkasse, -n	savings bank
die Taste, -n	(push-)button
die Telefonistin	operator, telephonist
die Telefonzelle, -n	callbox, telephone box
die Unterschrift, -en	signature
die Vorwahlnummer, -n	dialling code
die Wechselstube, -n	bureau de change

> ### Useful phrases
>
> **ich habe meine Tasche verloren – hat jemand sie
> gefunden?** *I've lost my bag – has anyone found it?*
> **beschreiben** *to describe*
> **liegen lassen** *to leave behind;* **klauen** *to pinch*
> **ein Formular ausfüllen** *to fill in a form*
> **der Bank** *(dat)* **Bescheid sagen** *to inform the bank*

❑ Essential words *(nt)*

das Briefpapier, -e	writing paper
das Fax(gerät), -e	fax
das Formular, -e	form
das Fundbüro, -s	lost property office
das Handy, -s	mobile phone
das Kleingeld	small change
das Mobiltelefon, -e	mobile phone
das Päckchen	package, *(small)* parcel
das Paket, -e	parcel, package
das Portemonnaie, -s	purse
das Postamt, ¨er	post office
das Postwertzeichen	postage stamp
das Problem, -e	problem
das Scheckheft, -e	cheque book
das Telefon, -e	telephone
das Telefonbuch, ¨er	telephone directory
das Verkehrsamt, ¨er	tourist information office

Useful phrases

einen Brief schreiben *to write a letter*
aufgeben *to send, post;* **senden, schicken** *to send*
zur Post gehen *to go to the post office*
den Brief einwerfen *to post the letter (in postbox)*
ein Paket aufgeben *to hand in a parcel*
faxen *to fax*
einige Briefmarken kaufen *to buy some stamps*
was ist das Porto für einen Brief nach Schottland? *how much is a letter to Scotland?*
3 Briefmarken zu 80 Pfennig *3 80-pfennig stamps*
ist Post für mich da? *is there any mail for me?*
erwarten *to expect*
bekommen, erhalten *to get, receive*
zurückschicken *to send back*
mit Luftpost *by airmail*
portofrei *freepost;* **postlagernd** *poste restante*

❏ **Important words** *(m)*

der Anschluss, ̈e	(telephone) extension
der Fehler	fault; mistake, error
der Luftpostbrief, -e	airmail letter
der Personalausweis, -e	identity card
der Postbeamte, -n	counter clerk
der Zeuge, -n	witness

❏ **Important words** *(f)*

die (Bank)note, -n	(bank)note
die Beschreibung, -en	description
die Brieftasche, -n	wallet
die Faxnummer, -n	fax number
die Geldstrafe, -n	fine
die Heimat, -en	home (town/country *etc*)
die Leerung, -en	collection (*of mail*)
die Luftpost	airmail
die Nummer, -n	number
die Postbeamtin, -nen	counter clerk
die Postgebühr, -en	postage
die Scheckkarte, -n	cheque card
die Telefonnummer, -n	phone number
die Verabredung, -en	date, appointment
die Verbindung, -en	line, connection
die Währung, -en	currency

Useful phrases

ich möchte einen Scheck einlösen *I'd like to cash a cheque*
unterschreiben *to sign*
ich möchte Pfunde (in Mark/Euro) umtauschen *I'd like to change some pounds (into marks/euros)*
können Sie mir ein Pfund wechseln? *can you give me change of a pound?*
wie viel Geld willst du wechseln? *how much money do you want to change?*
ich habe kein Kleingeld *I don't have any (small) change*
bar bezahlen *to pay in cash*
ein Scheck über 100 Pfund *a cheque for £100*

❏ **Important words** (nt)

das Bargeld	cash
das Ferngespräch, -e	trunk call
das Geschlecht, -er	sex
das Missverständnis, -se	misunderstanding
das Ortsgespräch, -e	local call
das Pfund Sterling	pound sterling
das R-Gespräch, -e	reverse-charge call
das Telefongespräch, -e	phone call
das Telegramm, -e	telegram, cable
das Termin, -e	(*doctor's etc*) appointment

Useful phrases

jdn anrufen, mit jdm telefonieren *to phone* or *call sb*
den Hörer abheben *to lift the receiver*
ein R-Gespräch führen *to make a reverse-charge call*
die Nummer suchen/wählen *to look up/dial the number*
können Sie mir die Vorwahlnummer sagen? *can you tell
me the dialling code?*
drücken *to press*
das Telefon läutet *the phone rings*
wer ist am Apparat? *who's speaking?*
hallo, hier ist . . . *hello, this is . . .*
kann ich Peter sprechen? *could I speak to Peter?*
bleiben Sie am Apparat *hold on, please*
einen Augenblick, ich verbinde Sie *just a minute, I'll put you
through*
eine Nachricht hinterlassen *to leave a message*
besetzt *engaged;* außer Betrieb *out of order*
Sie sind falsch verbunden *you have the wrong number*
ich habe mich verwählt *I dialled the wrong number*
danke für den Anruf *thank you for calling*
ich rufe Sie zurück *I'll call you back*
die Verbindung ist sehr schlecht *it's a bad line*
den Hörer auflegen or einhängen *to replace the receiver*

❐ **Useful words** *(m)*

der Einschreibebrief, -e	registered letter
der Empfänger	addressee
der Stempel	postmark

❐ **Useful words** *(f)*

die Blockschrift	block capitals *(pl)*
die Drucksache, -n	printed matter
die Kaution, -en	deposit
die Postanweisung, -en	postal order
die Postleitzahl, -en	postcode
die Steuer, -n	tax

❐ **Useful words** *(nt)*

das Branchenverzeichnis, -se	Yellow Pages® *(pl)*
das Einschreiben	registered letter
das Einwickelpapier	wrapping paper
das Konto, Konten	account
das Packpapier	brown paper, wrapping paper
das Porto	postage

Useful phrases

sprechen Sie Englisch? *do you speak English?*
was heißt das auf Deutsch? *what's that in German?*
könnten Sie das bitte wiederholen? *could you repeat that please?*
verstehen, kapieren *to understand*
wie schreibt man das? *how do you spell that?*
soll ich das buchstabieren? *shall I spell that for you?*

Lieber Franz *Dear Franz;* **Liebe Bettina** *Dear Bettina*
Sehr geehrter Herr Müller *Dear Mr Müller;* **Sehr geehrte
  Frau Brown** *Dear Mrs Brown*
Sehr geehrte Damen und Herren *Dear Sir or Madam*
Mit freundlichen Grüßen *Yours sincerely*
Viele Grüße *Love, Best wishes*
Hochachtungsvoll *Yours faithfully*

❐ **Essential words** *(m)*

der Ausweis, -e	identity card
der Polizist, -en	policeman
der Reisescheck, -s	traveller's cheque
der Scheck, -s	cheque

❐ **Essential words** *(f)*

die Auskunft, ̈-e	information; particulars *(pl)*
die Ausweiskarte, -n	identity card
die Bank, -en	bank
die Polizei	police
die Polizistin	policewoman
die Tasche, -n	bag

❐ **Essential words** *(nt)*

das Fundbüro, -s	lost property office
das Geld, -er	money
das Portemonnaie, -s	purse

Useful phrases

verunglücken *to have an accident*
jdn überfahren *to run sb over*
verletzt *injured;* **verwundet** *wounded*
betrunken *drunk*
Notruf (110) *emergency phone number*
versichert sein *to be insured*
Hilfe! *help!;* **haltet den Dieb!** *stop thief!*
Feuer! *fire!;* **Hände hoch!** *hands up!*
Angst haben *to be afraid*
stehlen *to steal;* **klauen** *to pinch;* **rauben** *to rob*
eine Bank überfallen *to rob a bank*
entführen *to kidnap; to hijack*
verschwinden *to disappear*
die Polizei rufen *to send for the police*
retten *to rescue;* **entkommen** *to escape;* **strafen** *to punish*

❏ Important words (m)

der Bandit, -en	bandit
der Demonstrant, -en	demonstrator
der Detektiv, -e	detective
der Dieb, -e	thief
der Diebstahl, ¨-e	theft
der Entführer	kidnapper; hijacker
der Gangster, -s	gangster
der Privatdetektiv, -e	private detective
der Retter	rescuer
der Revolver	gun, revolver
der Rowdy, -s	hooligan
der Sicherheitsbeamte, -n	security guard
der Streit, -e	argument, dispute
der Taschendieb, -e	pickpocket
der Terrorist, -en	terrorist
Tote(r), -n	dead man/woman
der Überfall, ¨-e	raid; attack
der Unfall, ¨-e	accident
der Zeuge, -n	witness

❏ Important words (nt)

das Bargeld	cash, ready money
das Gericht, -e	court
das Gesetz, -e	law
das Recht, -e	right
das Silber	silver

Useful phrases

demonstrieren to *demonstrate*
ein Gebäude (in die Luft) sprengen to *blow up a building*
erschießen to *shoot (dead)*
töten to *kill;* **ermorden** to *murder*
verhaften to *arrest;* **ins Gefängnis kommen** to *go to jail*
schuldig *guilty;* **unschuldig** *innocent*

❑ **Important words** *(f)*

die Armee, -n	army
die Atomwaffe, -n	atomic weapon
die Bande, -n	band, gang
die Beschreibung, -en	description
die Bombe, -n	bomb
die Brieftasche, -n	wallet
die Demonstrantin	demonstrator
die Demonstration, -en	demonstration
die Diebin	thief
die Droge, -n	drug
die Erlaubnis, -se	permission; permit
die Gefahr, -en	danger, risk
die Geldstrafe, -n	fine
die Notdienste *(pl)*	emergency services
die Pflicht, -en	duty
die Pistole, -n	gun, pistol
die Rettung, -en	rescue
die Terroristin	terrorist
die Untersuchung, -en	inquiry, investigation
die Zeugin	witness

❑ **Useful words** *(nt)*

das Gefängnis, -se	prison, jail
das Gewehr, -e	gun, rifle
das Heer, -e	army
das Rauschgift, -e	drug
das (Todes)urteil, -e	(death) sentence
das Verbrechen	crime
das Zuchthaus, (-häuser)	(top-security) prison

❏ Useful words *(m)*

der Beweis, -e	evidence, proof
der Brand, ¨e	fire
der Einbrecher	burglar
der Einbruch, ¨e	burglary, break-in
der Feind, -e	enemy
Gefangene(r), -n	prisoner
der Gefängniswärter	prison guard
der Gerichtshof, ¨e	law court
der Mord, -e	murder
der Mörder	murderer, killer
der Prozess, -e	trial, lawsuit
der Raub	robbery
der Räuber	robber
der Raubüberfall, ¨e	robbery with violence
der (Rechts)anwalt, ¨e	lawyer, barrister
der Spion, -e	spy
der Verbrecher	criminal
Verdächtige(r), -n	suspect

❏ Useful words *(f)*

die Alarmanlage, -n	burglar alarm
die Belohnung, -en	reward
die Fahrerflucht	hit-and-run driving
die Festnahme, -n	arrest
die Flucht, -en	escape
die Haft	custody
die Handschellen *(pl)*	handcuffs
die Justiz	justice
die Kurzmeldung, -en	news flash
die Leiche, -n	corpse, body
die (Polizei)wache, -n	police station
die Regierung, -en	government
die Schuld	guilt; fault
die Unschuld	innocence
die Verhaftung, -en	arrest
die Versicherungspolice, -n	insurance policy

❒ **Essential words** (m)

der Kaugummi	chewing gum
der Stein, -e	stone, rock

❒ **Essential words** (nt)

das Aluminium	aluminium
das Benzin	petrol
das Dieselöl	diesel oil
das Gas	gas
das Glas	glass
das Gummiband, ¨-er	rubber band; elastic
das Leder	leather
das Öl, -e	oil
das Papier, -e	paper

Useful phrases

eine Baumwollbluse *a cotton blouse*
ein Seidenschal (*m*) *a silk scarf*
ein Holzstuhl (*m*) *a wooden chair*
ein Strohhut (*m*) *a straw hat*
ein Pelzmantel (*m*) *a fur coat*
ein Wollpullover (*m*) *a woollen jumper*
ein Pappkarton (*m*) *a cardboard box*
ein Lammfellmantel (*m*) *a sheepskin coat*
eine Tasche aus Leder *a leather bag*
die Tasche ist aus Leder *the bag is made of leather*
eine Vase aus Ton *an earthenware vase*
die Vase ist aus Ton *the vase is made of earthenware*
eisern, Eisen- *iron*
golden, Gold- *gold, golden*
hölzern, Holz- *wooden*
marmorn, Marmor- *marble*
silbern, Silber- *silver*
echt *real, genuine*
kostbar *precious;* **teuer** *costly, expensive*

❏ Important words *(m)*

der Aufkleber	sticker, label
der Denim	denim
der Fleck, -e	mark, spot
der Gips	plaster; plaster of Paris
der Jeansstoff, -e	denim
der Klebstoff, -e	glue
der Kord	cord, corduroy
der Kunststoff, -e	synthetic
der Polyester	polyester
der Stahl	steel
der Stoff, -e	cloth, material

❏ Important words *(f)*

die Baumwolle	cotton
die Bronze	bronze
die Gebrauchsanweisung, -en	directions for use *(pl)*
die Seide	silk

❏ Important words *(nt)*

das Blei	lead
das Gold	gold
das *or* der Gummi	rubber; gum
das Holz, ⸚er	wood
das Material, -ien	material(s)
das Metall, -e	metal
das Nylon	nylon
das Petroleum	paraffin
das Plastik	plastic
das Seidenpapier	tissue paper
das Silber	silver
das Silberpapier	silver paper
das Stroh	straw
das Vinyl	vinyl
das Wildleder	suede

❏ Useful words *(m)*

der Backstein, -e	brick
der Beton	concrete
der Bindfaden, ⸚	string
der Draht, ⸚e	wire
der Faden, ⸚	thread
der Kalk	lime
der Karton, -s	cardboard; cardboard box
der Kautschuk	rubber *(substance)*
der Kleb(e)streifen	adhesive tape
der Marmor	marble
der Pelz, -e	fur
der Samt	velvet
der Satin	satin
der Schaumgummi	foam rubber
der Tesafilm®	Sellotape®
der Ton	clay
der Tweed	tweed
der Zement	cement
der Ziegelstein, -e *or* der Ziegel	brick
der Zustand, ⸚e	condition

Useful phrases

in gutem/schlechtem Zustand *in good/bad condition*
„trocken aufbewahren *or* lagern" *"keep dry"*
etw chemisch reinigen *to dry-clean sth*

❒ Useful words *(f)*

die Flüssigkeit, -en	liquid
die Kohle	coal
die Leinwand	canvas
die Pappe, -n	cardboard
die Plastikfolie, -n	clingfilm
die Schnur, ⁝e	cord, string
die Spitze, -n	lace
die Strickwaren *(pl)*	knitwear
die Watte	cotton wool
die Wolle	wool

❒ Useful words *(nt)*

das Acryl	acrylic
das Blech	tin
das Eisen	iron
das Fell, -e	fur, coat
das Kristall	crystal
das Kupfer	copper
das Leinen	linen
das Messing	brass
das Porzellan	porcelain, china
das Schaffell	sheepskin
das Segeltuch	sailcloth, canvas
das Seil, -e	rope; cable
das Stanniolpapier	tinfoil
das Steingut	earthenware
das Styropor	polystyrene
das Wachs	wax
das Zinn	pewter; tin

❏ **Essential + important words** *(m)*

der Jazz	jazz
der Musiker	musician
der Triangel	triangle
der Zuhörer	listener; *(pl)* audience

❏ **Essential + important words** *(f)*

die Blaskapelle, -n	brass band
die Blockflöte, -n	recorder
die Flöte, -n	flute
die Geige, -n	violin, fiddle
die Gitarre, -n	guitar
die Gruppe, -n	group
die Kapelle, -n	band, orchestra
die Klarinette, -n	clarinet
die Musik	music
die Note, -n	note; *(pl)* music
die Oboe, -n	oboe
die Taste, -n	(piano) key
die Trompete, -n	trumpet

❏ **Important words** *(nt)*

das Akkordeon, -s	accordion
das Bügelhorn, ¨er	bugle
das Cello, -s or Celli	cello
das Horn, ¨er	horn
das Klavier, -e	piano
das Konzert, -e	concert; concerto
das (Musik)instrument, -e	(musical) instrument
das Orchester	orchestra; band
das Saxophon, -e	saxophone
das Schlagzeug, -e	drums *(pl)*
das Xylophon, -e	xylophone

Useful phrases

Klavier/Gitarre spielen to play the piano/the guitar
die Schlagermusik pop music; **die klassische Musik** classical
music; **die Blasmusik** brass band music

❏ Useful words *(m)*

der Akkord, -e	chord
der Chor, ¨e	choir; chorus
der Dirigent, -en	conductor
der Dudelsack, ¨e	bagpipes *(pl)*
der Flügel	grand piano
der Kontrabass, (-bässe)	double bass
der Solist, -en	soloist
der Taktstock, (-stöcke)	(conductor's) baton
der Ton, ¨e	note

❏ Useful words *(f)*

die Harfe, -n	harp
die Konzerthalle, -n	concert hall
die Mundharmonika, -s *or* -ken	mouth organ, harmonica
die Musikkapelle, -n	band *(circus, military etc)*
die Oper, -n	opera; opera house
die Orgel, -n	organ
die Posaune, -n	trombone
die Querflöte, -n	flute
die Saite, -n	string
die Solistin	soloist
die Tastatur, -en	keyboard
die Tonart, -en	(musical) key
die (große) Trommel, (-n) -n	(big, bass) drum
die Violine, -n	violin
die Ziehharmonika, -s	concertina; accordion

❏ Useful words *(nt)*

das Becken	cymbals *(pl)*
das Fagott, -s *or* -e	bassoon
das Jagdhorn, ¨er	bugle; hunting horn
das Opernhaus, (-häuser)	opera house
das Streichorchester	string orchestra
das Tamburin, -e	tambourine
das Violoncello, -s *or* -celli	violoncello
das Waldhorn, ¨er	French horn

❒ Cardinal numbers

nought	0	null
one	1	eins
two	2	zwei
three	3	drei
four	4	vier
five	5	fünf
six	6	sechs
seven	7	sieben
eight	8	acht
nine	9	neun
ten	10	zehn
eleven	11	elf
twelve	12	zwölf
thirteen	13	dreizehn
fourteen	14	vierzehn
fifteen	15	fünfzehn
sixteen	16	sechzehn
seventeen	17	siebzehn
eighteen	18	achtzehn
nineteen	19	neunzehn
twenty	20	zwanzig
twenty-one	21	einundzwanzig
twenty-two	22	zweiundzwanzig
twenty-three	23	dreiundzwanzig
thirty	30	dreißig
thirty-one	31	einunddreißig
thirty-two	32	zweiunddreißig
forty	40	vierzig
fifty	50	fünfzig
sixty	60	sechzig
seventy	70	siebzig
eighty	80	achtzig
ninety	90	neunzig
ninety-nine	99	neunundneunzig
a (or one) hundred	100	hundert

$\frac{6}{7}\frac{+}{21}\frac{}{-}$

❏ Cardinal numbers *(cont)*

a hundred and one	101	hunderteins
a hundred and two	102	hundertzwei
a hundred and ten	110	hundertzehn
a hundred and eighty-two	182	hundertzweiundachtzig
two hundred	200	zweihundert
two hundred and one	201	zweihunderteins
two hundred and two	202	zweihundertzwei
three hundred	300	dreihundert
four hundred	400	vierhundert
five hundred	500	fünfhundert
six hundred	600	sechshundert
seven hundred	700	siebenhundert
eight hundred	800	achthundert
nine hundred	900	neunhundert
a (*or* one) thousand	1000	(ein)tausend
a thousand and one	1001	tausendundeins
a thousand and two	1002	tausendundzwei
two thousand	2000	zweitausend
ten thousand	10 000	zehntausend
a (*or* one) hundred thousand	100 000	hunderttausend
a (*or* one) million	1 000 000	eine Million
two million	2 000 000	zwei Millionen

Useful phrases

1979	*neunzehnhundertneunundsiebzig*
2001	*zweitausendundeins*

gerade/ungerade Zahlen *even/odd numbers*
50 Prozent *50 per cent*

❐ Ordinal numbers

These can be masculine, feminine or neuter, and take the
appropriate endings.

first	der Erste
second	der Zweite
third	der Dritte
fourth	der Vierte
fifth	der Fünfte
sixth	der Sechste
seventh	der Siebte
eighth	der Achte
ninth	der Neunte
tenth	der Zehnte
eleventh	der Elfte
twelfth	der Zwölfte
thirteenth	der Dreizehnte
fourteenth	der Vierzehnte
fifteenth	der Fünfzehnte
sixteenth	der Sechzehnte
seventeenth	der Siebzehnte
eighteenth	der Achtzehnte
nineteenth	der Neunzehnte
twentieth	der Zwanzigste
twenty-first	der Einundzwanzigste
twenty-second	der Zweiundzwanzigste
thirtieth	der Dreißigste
thirty-first	der Einunddreißigste
fortieth	der Vierzigste
fiftieth	der Fünfzigste
sixtieth	der Sechzigste
seventieth	der Siebzigste
eightieth	der Achtzigste
ninetieth	der Neunzigste
hundredth	der Hundertste
hundred and first	der Hunderterste
hundred and tenth	der Hundertzehnte

❐ Ordinal numbers *(cont)*

two hundredth	der Zweihundertste
three hundredth	der Dreihundertste
four hundredth	der Vierhundertste
five hundredth	der Fünfhundertste
six hundredth	der Sechshundertste
seven hundredth	der Siebenhundertste
eight hundredth	der Achthundertste
nine hundredth	der Neunhundertste
thousandth	der Tausendste
two thousandth	der Zweitausendste
millionth	der Millionste
two millionth	der Zweimillionste

❐ Fractions

a half	halb, die Hälfte
one and a half kilos	eineinhalb Kilos, anderthalb Kilos
two and a half kilos	zweieinhalb Kilos
a third	ein Drittel *(nt)*
two thirds	zwei Drittel
a quarter	ein Viertel *(nt)*
three quarters	drei Viertel
a sixth	ein Sechstel *(nt)*
five and five sixths	fünf und fünf Sechstel
an eighth	ein Achtel *(nt)*
a twelfth	ein Zwölftel *(nt)*
a twentieth	ein Zwanzigstel *(nt)*
a hundredth	ein Hundertstel *(nt)*
a thousandth	ein Tausendstel *(nt)*
a millionth	ein Millionstel *(nt)*

Useful phrases

zum x-ten Mal *for the umpteenth time*
ein Millionär *a millionaire*

(0, 4) null Komma vier *(0.4) nought point four*
die Flasche war drei viertel leer *the bottle was three-quarters empty*

$$-\,^{6}_{7}\,^{+}_{21}\,^{-}$$

❒ Numbers and quantities

der Becher (Joghurt)	pot (of yogurt)
ein bisschen	a little (bit of)
die Büchse, -n	tin, can
der *or* das Deziliter	decilitre
das Dutzend	dozen
Dutzende von etwas	dozens of a little (bit of)
das Fass, ¨er	barrel
die Flasche, -n (Wein)	bottle (of wine)
das Glas, ¨er (Milch)	glass (of milk)
das Glas, ¨er Marmelade	jar *or* pot of jam
eine Halbe	a half (*litre of beer etc*)
ein halbes Dutzend/ Pfund	half-a-dozen/-pound, a half dozen/pound
ein halbes Kilo	half a kilo
ein halber Liter	half a litre
die Handvoll (Münzen)	handful (of coins)
der Haufen	heap, pile
ein Haufen	heaps of
Hunderte von	hundreds of
hundert Gramm Käse	a hundred grammes of cheese
die Kanne, -n (Kaffee)	pot (of coffee)
das Kilo(gramm)	kilo(gramme)
ein Kleines	a half pint (*of beer etc*)
das Knäuel Wolle *or* das Wollknäuel	ball of wool
der *or* das Liter	litre
die Menge, -n	crowd; heaps of
der *or* das Meter (Stoff)	metre (of cloth)
das Paar (Schuhe)	pair (of shoes)
das Päckchen	packet
die Packung Keks/ Zigaretten	packet of biscuits/ cigarettes
das Pfund (Kartoffeln)	pound (of potatoes)
die Portion, -en (Eis)	portion *or* helping (of ice cream)

$6\ 21$
7

❏ **Numbers and quantities** *(cont)*

der Riegel Seife	cake or bar of soap
der Riegel Schokolade	bar of chocolate, chocolate bar
die Schachtel, -n	box; packet *(of cigarettes)*
die Schar, -en	group, band
die Scheibe, -n (Brot)	slice (of bread)
die Schüssel, -n	bowl, dish
der Stapel	pile
das Stück Zucker	lump of sugar
das Stück Kuchen	piece or slice of cake
das Stück Papier	bit or piece of paper
die Tafel (-n) Schokolade	bar of chocolate
die Tasse (voll)	cup(ful)
Tausende von	thousands of
der Teller	plate
das Viertel(pfund)	quarter(-pound)
ein wenig	a little (bit) of
der Würfel Zucker	lump of sugar
der Würfel Margarine	half a pound of margarine *(in cube shape)*

Useful phrases

für das Dutzend/das Hundert/das Tausend *per dozen/ hundred/thousand, (for) a dozen/a hundred/a thousand*

❏ **Essential words** *(m)*

der Artikel	article
der Ohrring, -e	earring
der Rasierapparat, -e	razor
der Ring, -e	ring
der Schlüsselring, -e	key-ring
der Schmuck	jewellery

❏ **Essential words** *(f)*

die Armbanduhr, -en	(wrist) watch
die Haarbürste, -n	hairbrush
die Halskette, -n	necklace
die Kette, -n	chain
die Rasiercreme, -s	shaving cream
die Sache, -n	thing
die Schönheit	beauty
die Seife, -n	soap
die Zahnbürste, -n	toothbrush
die Zahnpasta, -pasten	toothpaste

❏ **Essential + important words** *(nt)*

das Armband, ¨-er	bracelet
das Deo, -s	deodorant
das Gold	gold
das Haarwaschmittel	shampoo
das Handtuch, ¨-er	towel
das Juwel, -en	jewel; *(pl)* jewels, jewellery
das Make-up	foundation; make-up
das Parfüm, -s *or* -e	perfume, scent
das Rasierwasser	after-shave
das Shampoo, -s	shampoo
das Silber	silver
das Taschengeld	pocket money
das Toilettenwasser	toilet water

> **Useful phrases**
>
> **baden** to have a bath; **duschen** to have a shower
> **sich die Zähne putzen** to brush one's teeth

❒ Important words *(m)*

der Ehering, -e	wedding ring
der Gesichtspuder	face powder
der Kamm, ¨-e	comb
der Schönheitssalon, -s	beauty salon
der Spiegel	mirror
der Tampon, -s	tampon

❒ Important words *(f)*

die (Damen)binde	sanitary towel
die Gesichtscreme, -s	face cream
die Kosmetik	cosmetics *(pl)*, make-up
die Perle, -n	pearl; bead
die Perlenkette, -n	beads, string of beads

❒ Useful words *(m)*

der Anhänger	pendant
der Edelstein, -e	gem, precious stone
der Lidschatten	eyeshadow
der Lippenstift, -e	lipstick
der Lockenwickler	curler, roller
der Nagellack	nail varnish, nail polish
der Nagellackentferner	nail varnish remover
der Trauring, -e	wedding ring
der Waschbeutel	toilet bag
der Waschlappen	face flannel

❒ Useful words *(f)*

die Brosche, -n	brooch
die Frisur, -en	hairstyle
die Krawattennadel, -n	tie-pin
die Perücke, -n	wig
die Puderdose, -n	(powder) compact
die Schminke, -n	make-up
die Wimperntusche	mascara

Useful phrases

---

sich rasieren to shave; **kämmen** to comb; **bürsten** to brush

❒ **Essential words** *(m)*

der Baum, Bäume	tree
der Blumentopf, ¨e	flower pot
der Garten, ¨	garden
der Gärtner	gardener
der Gemüsegarten, ¨	vegetable garden
der Grund	ground
der Obstgarten, ¨	orchard
der Regen	rain
der Sonnenschein	sunshine
der Stein, -e	stone, rock

❒ **Essential words** *(f)*

die Biene, -n	bee
die Blume, -n	flower
die Erde, -n	earth, soil
die (Garten)bank, ¨e	(garden) seat *or* bench
die Gartentür, -en	garden gate
die Rose, -n	rose
die Sonne	sun
die Wespe, -n	wasp

❒ **Essential words** *(nt)*

das Blatt, ¨er	leaf
das Gärtnern	gardening
das Gemüse	vegetable(s)
das Gras	grass

Useful phrases

Blumen pflanzen *to plant flowers*
die Pflanzen wachsen *the plants grow*
gießen *to water*
pflücken *to pick*
ein Strauß Rosen/Veilchen, ein Rosenstrauß/
Veilchenstrauß *a bunch of roses/violets*

❑ **Important words** (m)

der Boden, ⸚	ground, soil
der Busch, ⸚e	bush, shrub
der Krokus, - *or* -se	crocus
der Pfad, -e	path
der Rasen	lawn; turf
der Schatten	shadow; shade
der Stamm, ⸚e	trunk
der Steingarten, ⸚	rockery, rock garden
der Weg, -e	path
der Wurm, ⸚er	worm

❑ **Important words** (f)

die Chrysantheme, -n	chrysanthemum
die Dahlie, -n	dahlia
die Hütte, -n	hut, shed
die Hyazinthe, -n	hyacinth
die Lilie, -n	lily
die Orchidee, -n	orchid
die Pflanze, -n	plant
die Sonnenblume, -n	sunflower
die Tulpe, -n	tulip

❑ **Important words** (nt)

das Gartenhaus, (-häuser)	summerhouse
das Laub(werk)	leaves (*pl*), foliage
das Unkraut	weed(s)
das Werkzeug, -e	tool

Useful phrases

den Garten umgraben to dig the garden
den Rasen mähen to mow the lawn
im Schatten eines Baumes in the shade of a tree
im Schatten bleiben to stay in the shade
allerlei Pflanzen all kinds of plants
hier duftet es (gut) what a nice smell there is here

❐ **Useful words** *(m)*

der Ast, ¨e	branch
der Baumstamm, ¨e	tree trunk
der Blumenstrauß, (-sträuße)	bunch *or* bouquet of flowers
der Dorn, -en	thorn
der Duft, ¨e	perfume, scent
der Efeu	ivy
der Flieder	lilac
der Goldlack	wallflower
der Halm, -e	stalk, blade
der Löwenzahn	dandelion
der Mohn, -e	poppy
der Rasenmäher	lawnmower
der Rosenstock, ¨e	rose bush
der Samen	seed(s)
der Schlauch, Schläuche	garden hose
der Schmetterling, -e	butterfly
der Schubkarren	wheelbarrow
der Stachel, -n	thorn
der Stängel; der Stiel, -e	stalk, stem
der Strauch, Sträucher	shrub
der Strauß, Sträuße	bunch *or* bouquet (of flowers)
der Tau	dew
der Weiher	pond
der Wintergarten, ¨	conservatory
der Zaun, Zäune	fence
der Zweig, -e	branch

Useful phrases

Unkraut jäten *to do the weeding*
die Hecke schneiden *to cut the hedge*
die Blätter zusammenharken *to rake up the leaves*
umzäunt *fenced in*
sonnig *sunny;* **schattig** *shady*

❐ Useful words *(f)*

die Beere, -n	berry
die Blüte, -n	blossom
die Butterblume, -n	buttercup
die Gartenwicke, -n	sweet pea
die Gießkanne, -n	watering can
die Hacke, -n	hoe
die Harke, -n	rake
die Hecke, -n	hedge
die Heckenschere, -n	hedge-cutters, garden shears
die Hortensie, -n	hydrangea
die Knospe, -n	bud
die Leiter, -n	ladder
die Margerite, -n	daisy
die Narzisse, -n	narcissus, daffodil
die Nelke, -n	carnation
die Osterglocke, -n	daffodil
die Pforte, -n	(garden) gate
die Primel, -n	primrose
die Rabatte, -n	border, flower bed
die Walze, -n	roller
die Wurzel, -n	root

❐ Useful words *(nt)*

das Blumenbeet, -e	flowerbed
das Gänseblümchen	daisy
das Geißblatt	honeysuckle
das Gewächshaus, (-häuser)	greenhouse
das Maiglöckchen	lily of the valley
das Schneeglöckchen	snowdrop
das Stiefmütterchen	pansy
das Veilchen	violet
das Vergissmeinnicht, -e	forget-me-not

❒ **Essential words** (m)

der Ausflug, ⸚e	trip, outing
der Badeanzug, ⸚e	swimming *or* bathing costume
der Bikini, -s	bikini
der Dampfer	steamer
der Fahrgast, ⸚e	passenger
der Fisch, -e	fish
der Fischer	fisherman
der Hafen, ⸚	port, harbour
der Passagier, -e	passenger
der Schwimmer	swimmer
der Seehafen, ⸚	seaport
der Seemann, (-leute)	sailor, seaman
der Sonnenschein	sunshine
der Spaziergang, ⸚e	walk
der Stein, -e	stone
der Strand, ⸚e	shore, beach
der Urlauber	holiday-maker

❒ **Essential words** (f)

die Ansichtskarte, -n	postcard
die Badehose, -n	swimming *or* bathing trunks
die Fähre, -n	ferry
die Hafenstadt, ⸚e	port
die Insel, -n	island
die Mannschaft, -en	crew
die Schwimmerin	swimmer
die See, -n	sea
die Seekrankheit	seasickness
die Seeluft	sea air
die Sonne	sun
die Sonnenbrille, -n	(pair of) sunglasses
die Sonnencreme, -s	sun(tan) cream
die Überfahrt, -en	crossing
die Urlauberin	holiday-maker

❏ Essential words (nt)

das Ausland	abroad
das Bad, ⸚er	bathe (*in sea*), swim
das Badetuch, ⸚er	(bath) towel
das Boot, -e	boat
das Fischerboot, -e	fishing boat
das Meer, -e	ocean, sea
das Picknick, -e *or* -s	picnic
das Ruder	oar; rudder
das Schiff, -e	ship, vessel
das Schwimmen	swimming
das Sonnenöl, -e	suntan oil
das Wasser	water

❏ Important words (m)

der Anker	anchor
Badende(r), -n	bather, swimmer
der Bord, -e	board
der Horizont	horizon
der (Meeres)boden	bottom (of the sea)
der Ozean, -e	ocean
der Prospekt, -e	leaflet, brochure
der Rettungsring, -e	lifebelt
der Sand, -e	send
der Segler	sailor, yachtsman
der Sonnenbrand, ⸚e	sunburn

┌─── **Useful phrases** ───┐

zwei Wochen Urlaub *two weeks' holiday*
am Meer *at the seaside*
ans Meer *or* **an die See fahren** *to go to the seaside*
es ist Flut/Ebbe *the tide is in/out*
schwimmen gehen *to go for a swim*; **sich ausruhen** *to have a rest*
sich sonnen *to sunbathe*; **am Strand** *on the beach*
eine Sonnenbrille tragen *to wear sunglasses*
braun werden *to get a tan*
einen Sonnenbrand bekommen *to get sunburnt*

❑ **Important words** *(f)*

die Flagge, -n	flag
die Küste, -n	coast, shore; seaside
die Luftmatratze, -n	lilo®, airbed
die Seglerin	sailor, yachtswoman
die Vergnügungsfahrt, -en	pleasure cruise

❑ **Important words** *(nt)*

das Reisebüro, -s	travel agent's
das Segel	sail
das Segeln	sailing
das Teleskop, -e	telescope
das Ufer	shore *(lake)*; bank *(river)*

❑ **Useful words** *(m)*

der Eimer	bucket
der Jachthafen, ⸚	marina
der Kahn, ⸚e	*(small)* boat
der Kai, -e *or* -s	quay, quayside
der Kieselstein, -e	pebble
der Krebs, -e	crab
der Leuchtturm, ⸚e	lighthouse
der Liegestuhl, ⸚e	deckchair
der Mast, -e(n)	mast
der Matrose, -n	sailor
der Pier, -e *or* -s	pier
der Rettungsschwimmer	lifeguard
der Schaum	foam
der Schiffbruch, ⸚e	shipwreck
der Schornstein, ⸚e	funnel
der (See)tang, -e	seaweed
der Sonnenstich, -e	sunstroke
der Spaten	spade

❏ Useful words *(f)*

die Boje, -n	buoy
die Bucht, -en	bay
die Ebbe, -n	low tide
die Fahne, -n	flag
die Flotte, -n	navy, fleet
die Flut, -en	high tide
die Jacht, -en	yacht
die Klippe, -n	cliff
die Kreuzfahrt, -en	cruise
die Last, -en	load, cargo
die Möwe, -n	seagull
die Muschel(schale), -n/(-n)	shell
die Pauschalreise, -n	package tour
die Sandburg, -en	sandcastle
die (Schiffs)ladung, -en	cargo
die Schwimmweste, -n	life jacket
die (Sonnen)bräune	(sun)tan
die Strömung, -en	current
die Welle, -n	wave

❏ Useful words *(nt)*

das Deck, -s *or* -e	deck *(of ship)*
das Fahrgeld, -er	fare
das Floß, ¨-e	raft
das Steuer	helm, tiller
das Surfbrett, -er	surfboard
das Tretboot, -e	pedal-boat, pedalo

Useful phrases

eine Bootsfahrt machen *to go on a boat trip*
an Bord gehen *to go on board*
ruhig *calm;* **stürmisch** *stormy;* **bewegt** *choppy*
seekrank werden *to get seasick*
untergehen *to go under*
ertrinken *to drown*

❏ **Essential words** (m)

der Artikel	article
der Bäcker	baker
der Einkauf, (-käufe)	shopping; purchase
der Fahrstuhl, -̈e	lift
der Franken	(Swiss) franc
der Geldbeutel	purse
der Geschäftsmann, (-leute)	businessman
der Groschen	10-pfennig piece; groschen
der Kiosk, -e	kiosk
der Kunde, -n	customer, client
der Laden, -̈	shop
der Markt, -̈e	market
der Pfennig, -e	pfennig
der Preis, -e	price
der Rappen	centime
der Schalter	counter (*post office, bank etc*)
der Scheck, -s	cheque
der Schein, -e	(bank)note
der Schilling, - *or* -e	schilling
der Schuhmacher	shoemaker, shoe repairer
der Sommerschlussverkauf	summer sale
der Supermarkt, -̈e	supermarket

Useful phrases

einkaufen gehen *to go shopping*
Einkäufe machen *to do the shopping*
Schlange stehen *to queue up*
kaufen *to buy;* **verkaufen** *to sell;* **jdn bedienen** *to serve sb*
kann ich Ihnen behilflich sein? *can I help you?*
was darf es sein, bitte? *what would you like?*
ich möchte . . . *I'd like. . .;* **ich brauche . . .** *I need . . .*
etw bezahlen *to pay for sth*
etwas stimmt nicht *there's something wrong somewhere*
ich möchte mich nur mal umsehen *I'm just looking*

❏ Essential words *(f)*

die Apotheke, -n	chemist's, pharmacy
die Bäckerei, -en	bakery, baker's (shop)
die Bank, -en	bank
die Bibliothek, -en	library
die Buchhandlung, -en	bookshop, bookseller's
die Drogerie, -n	(retail) chemist's
die Etage, -n	floor
die Farbe, -n	colour
die Geschäftszeit, -en	business hours
die Größe, -n	size
die Handlung, -en	shop
die Kasse, -n	till; cash desk, checkout
die Konditorei, -en	cake shop
die Kreditkarte, -n	credit card
die Kundin, -nen	customer, client
die Liste, -n	list
die Mark	mark *(money)*
die Metzgerei, -en	butcher's (shop)
die Öffnungszeit, -en	opening time
die Post, Postämter	post office
die Rechnung, -en	bill
die Schachtel, -n	box
die Schuhgröße, -n	shoe size
die Selbstbedienung (SB)	self-service
die Sparkasse, -n	savings bank
die Tierhandlung, -en	pet shop
die Tüte, -n	bag

Useful phrases

erhältlich *available;* **ausverkauft** *sold out*
beim Bäcker/Fleischer *at the baker's/butcher's*
anbieten *to offer;* **etw probieren** *to try sth (taste, sample)*
etw anprobieren *to try sth on*
das gefällt mir *I like that*
wählen *to choose;* **wiegen** *to weigh*

❑ Essential words (nt)

das Andenken	souvenir
das Büro, -s	office
das Café, -s	café
das Einkaufen	shopping
das Erdgeschoss, -e	ground level, ground floor
das Geld	money
das Geschäft, -e	shop; trade, business; deal
das Geschenk, -e	present, gift
das Kaufhaus, (-häuser)	department store
das Kleingeld	small change
das Portemonnaie, -s	purse
das Postamt, ¨er	post office
das Restaurant, -s	restaurant
das Schuhgeschäft, -e	shoe shop
das Sonderangebot, -e	bargain (offer), special offer
das Souvenir, -s	souvenir
das Warenhaus, (-häuser)	department store
das Wirtshaus, (-häuser)	pub, inn

Useful phrases

was kostet das? *what does it cost?*
was macht das? *what does that come to?*
ich habe 15 Mark dafür bezahlt *I paid 15 marks for it*
einen Scheck ausstellen *to write out a cheque*
bar bezahlen *to pay cash*
Geld für Pralinen ausgeben *to spend money on chocolates*
zu teuer *too dear;* **ganz billig** *quite cheap*
kostenlos *free, free of charge;* **umsonst** *for nothing*
preiswert *good value;* **ein preiswertes Angebot** *a bargain*
das habe ich günstig bekommen *I got it at a good price*
das ist aber günstig! *what a bargain!*
Montags Ruhetag *closed on Mondays*

❐ Important words *(m)*

der Apotheker	(dispensing) chemist
der Aufzug, ⸚e	lift
der Ausverkauf, (-käufe)	sale
die Betriebsferien *(pl)*	holidays *(of a business)*
der Buchhändler	bookseller
der Drogist, -en	retail chemist
der Einkaufskorb, (-körbe)	shopping basket
der Einkaufswagen	shopping trolley
der Fischhändler	fishmonger
der Fleischer	butcher
der Friseur, -e	hairdresser
der Händler	dealer
der Herrenfriseur, -e	barber, men's hairdresser
der Juwelier	jeweller
der Kassenzettel	receipt
der Kaufmann, (-leute)	merchant
der Konditor, -en	confectioner
der Metzger	butcher
der Obst- und Gemüsehändler	greengrocer
der Obsthändler	fruiterer
der Schallplattenhändler	record dealer
der Schlussverkauf, (-käufe)	(end-of-season) sale
der Sonderpreis, -e	special price
der Tabakladen, ⸚	tobacconist's (shop)
der Taschenrechner	(pocket) calculator
der Umtausch	exchange *(of goods)*
der Verkauf, (-käufe)	sale
der Verkäufer	salesman, shop assistant
der Waschsalon, -s	laundrette
der Zeitungshändler	newsagent

Useful phrases

GmbH *Ltd*
AG *plc*

❒ **Important words** (f)

die Abteilung, -en	department
die Anprobe, -n	trying on
die Auswahl (an + *dat*)	choice (of)
die Brieftasche, -n	wallet
die Firma, Firmen	firm, company
die Fleischerei, -en	butcher's (shop)
die Friseuse, -n	hairdresser
die Gaststätte, -n	restaurant; pub
die Gesellschaft, -en	company; society
die Kneipe, -n	pub
die Kundenkarte, -n	charge card
die Packung, -en	packet, box
die Parfümerie, -n	perfume counter or shop
die Quittung, -en	receipt
die Schaufensterpuppe, -n	dummy, model
die Schlange, -n	queue
die Schreibwarenhandlung, -en	stationer's
die Theke, -n	counter (*in café, bar etc*)
die Verkäuferin	salesgirl, shop assistant
die Waren (*pl*)	goods, wares

❒ **Important words** (nt)

das Einkaufszentrum, -tren	shopping centre
das Juweliergeschäft, -e	jeweller's (shop)
das Milchgeschäft, -e	dairy
das Obergeschoss, -e	upper floor
das Produkt, -e	product; (*pl*) produce
das Reisebüro, -s	travel agent's
das Schaufenster	shop window
das Untergeschoss, -e	basement

Useful phrases

einen Schaufensterbummel machen to go *window-shopping*

❏ Useful words *(m)*

der Buchmacher	bookmaker, "bookie"
der Einkaufsbummel	shopping spree
der Eisenwarenhändler	ironmonger
der (Flick)schuster	cobbler, shoe repairer
der Gelegenheitskauf, (-käufe)	bargain
der Grundstücksmakler	estate agent
der Gutschein, -e	voucher
der Handel	trade, business
der Ladentisch, -e	counter *(in shop)*
der Lebensmittelhändler	grocer
der Optiker	optician
der Uhrmacher	watchmaker
der Waschsalon, -s	laundrette

❏ Useful words *(f)*

die Bausparkasse, -n	building society
die Besorgung, -en	errand; purchase
die Bücherei, -en	library
die Bude, -n	stall
die Eisenwarenhandlung, -en	ironmonger's, hardware shop
die Filiale, -n	branch
die Garantie, -n	guarantee
die Kragenweite, -n	collar size
die Reinigung, -en	cleaner's
die Rolltreppe, -n	escalator
die Versicherungsgesellschaft, -en	insurance company
die Videothek, -en	video shop
die Wäscherei, -en	laundry, cleaner's

❏ Useful words *(nt)*

das Erzeugnis, -se	product; produce
das Lebensmittelgeschäft, -e	grocer's, general food store
das Wechselgeld	change

❑ **Essential words** *(m)*

der Ball, ⁻e	ball
der Fußball, ⁻e	football
der Fußballfan, -s	football supporter
der Fußballspieler	footballer
der Läufer	runner
der Pass, ⁻e	pass
der Radsport	cycling
der Rollschuh, -e	roller skate
der Schlittschuh, -e	ice skate
der Spieler	player
der Sport, -e	sport, game
der Sportplatz, ⁻e	sports ground, playing field
der Wintersport	winter sport(s)

❑ **Essential words** *(nt)*

das Angeln	fishing, angling
das Endspiel, -e	final(s)
das Fitnesszentrum, -tren	health club
das Freibad, ⁻er	open-air swimming pool
das Hallenbad, ⁻er	indoor swimming pool
das Hockey	hockey
das Kricket	cricket
das Laufen	running
das Radfahren	cycling
das Reiten	horse-riding
das Rudern	rowing
das Rugby	rugby
das Schlittschuhlaufen	(ice) skating
das Schwimmbad, ⁻er	swimming baths
das Schwimmen	swimming
das Spiel, -e	play; game, match
das Squash	squash
das Stadion, -ien	stadium
das Tennis	tennis
das Turnen	gymnastics

❏ Important words *(m)*

der Basketball, ¨e	basketball
der Fußballplatz, ¨e	football pitch
der Golfplatz, ¨e	golf course
der Golfschläger	golf club *(stick)*
der Netzball, ¨e	netball
der Platz, ¨e	ground, playing field
der Pokal, -e	cup
der Profi, -s	pro
der Schläger	racket/bat/club *etc*
der Ski, -er	ski
der Teilnehmer	participant
der Tennisplatz, ¨e	tennis court
der Volleyball, ¨e	volleyball
der Zuschauer	spectator

❏ Essential + important words *(f)*

die Angelrute, -n	fishing rod
die Bundesliga	football league
die Fußballelf, -en	football team
die Halbzeit, -en	half *(of match)*; half-time
die Leichtathletik	athletics
die Mannschaft, -en	team
die Rennbahn, -en	racecourse, track
die Spielerin	player
die Spielhälfte, -n	half *(of match)*
die Turnhalle, -n	gym(nasium)
die Weltmeisterschaft, -en	world championship(s)

Useful phrases

treibst du gern Sport? *do you like sports?*
spielen *to play;* laufen *to run;* werfen *to throw;*
springen *to jump;* trainieren *to train;* joggen *to go jogging*
üben *to practise;* trimmen *to do exercises*
gewinnen *to win;* verlieren *to lose*
unentschieden enden *to end in a draw*

❏ **Important words** *(nt)*

das Billard	billiards
das Boxen	boxing
das Ergebnis, -se	result
das Golf(spiel)	golf
das Jogging	jogging
das Netz, -e	net
das Pferderennen	horse racing; horse-race
das Rennen	racing, race meeting
das Schießen	shooting
das Segeln	sailing
das Skateboard, -s	skateboard
das Skifahren; das Skilaufen	skiing
das Snowboard, -s	snowboard
das Tauchen	(underwater) diving
das Tischtennis	table tennis
das Tor, -e	goal
das Ziel, -e	goal, aim; finish, finishing post

❏ **Useful words** *(nt)*

das Bergsteigen	mountaineering
das Bogenschießen	archery
das gemischte Doppel	mixed doubles
das Drachenfliegen	hang-gliding
das Fechten	fencing
das Gleitschirmfliegen	paragliding
das Jagen	hunting; shooting
das Klettern	climbing, mountaineering
die Olympischen Spiele *(pl)*	Olympic Games
das Ringen	wrestling
das Surfbrett	surfboard
das Tauziehen	tug-of-war
das Training	training
das Turnier, -e	tournament
das Wasserski	water-skiing

❑ **Useful words** *(m)*

der Bergsteiger	mountaineer
der Federball, ¨-e	badminton; shuttlecock
der Gegner	opponent
der Hochsprung, ¨-e	high jump
der Kampf, ¨-e	fight; contest
der Meister	champion
der Rodel	toboggan
der Satz, ¨-e	set *(tennis)*
der Schiedsrichter	referee; umpire
der Schlitten	sledge, sleigh
der Sieger	winner
der Stoß, ¨-e	kick; push, thrust
der Titelverteidiger	title-holder
der Torwart, -e	goalkeeper
der Trainer, -e	trainer, coach; manager
die Turnschuhe *(pl)*	tennis *or* gym shoes
Unparteiische(r), -n	umpire; referee
der Weitsprung, ¨-e	long jump
der (Welt)rekord, -e	(world) record
der Wettbewerb, -e	competition
der Wettkampf, ¨-e	match, contest

❑ **Useful words** *(f)*

die (Aschen)bahn, -en	(cinder) track
die Bundesliga	national league
die Eisbahn, -en	ice rink, skating rink
die Kegelbahn, -en	bowling alley; skittle alley
die Meisterschaft, -en	championship
die Partie, -n	game, match
die Punktzahl, -en	score
die Runde, -n	lap, round
die Siegerin	winner
die Stoppuhr, -en	stopwatch
die (Tabellen)spitze, -n	lead *(in league etc)*
die Tribüne, -n	stand

❐ Essential words *(m)*

der Ausgang, ⸚e	exit, way out
der Eingang, ⸚e	entrance, way in
der Film, -e	film
der Kinobesucher	cinema-goer
der Quatsch	rubbish
der Theaterbesucher	theatre-goer
die Zuhörer *(pl)*	audience *(listeners)*

❐ Essential words *(f)*

die Eintrittskarte, -n	ticket
die Freizeit	free or spare time
die Handlung, -en	plot, action
die Kasse, -n	box office, ticket office
die Musik	music
die Reservierung, -en	booking
die (Theater)karte, -n	(theatre) ticket
die (Theater)kasse, -n	box office
die Vorstellung, -en	performance, show

❐ Essential words *(nt)*

das Kino, -s	cinema
das Konzert, -e	concert
das Spiel	acting; play
das Theater	theatre
das (Theater)stück, -e	play

Useful phrases

ich gehe gern ins Kino/ins Theater *I like going to the cinema/the theatre*
an der Vorverkaufskasse *at the booking office*
„ausverkauft" *"sold out"*
mein Lieblingsfilmstar *my favourite film star*
ein Film mit Untertiteln *a film with subtitles*
spannend *exciting;* **langweilig** *boring*
(kaum) sehenswert *(hardly) worth seeing*

❏ Important words (m)

der Applaus, -e	applause
der Balkon, -s *or* -e	(dress) circle
der Bühneneingang, ¨-e	stage door
der Dramatiker	dramatist, playwright
der (Film)star, -s	(film) star
der Komiker	comedian
der Konzertsaal, (-säle)	concert hall
der Krieg, -e	war
der Krimi, -s	thriller
der Kritiker	critic
der Rang, ¨-e	circle (*in theatre*)
der Saal, Säle	hall; room
der Schauspieler	actor
der (Sitz)platz, ¨-e	seat
der Spaß	fun
der Spielplan, ¨-e	programme
der Text, -e	script
der Titel	title
der Untertitel	subtitle
der Videoclip, -s	video clip
der Vorhang, ¨-e	curtain
der Western, -s	western
die Zuschauer (*pl*)	audience (*viewers*)
der erste Rang	dress circle
der zweite Rang	upper circle

Useful phrases

die Bühne betreten to step onto the stage
meine Damen und Herren! ladies and gentlemen!
ein Stück geben to put on a play
mit X und Y in den Hauptrollen with X and Y in the main
  roles
klatschen to clap

❏ **Important words** *(f)*

die Aufführung, -en	performance
die Bühne, -n	stage, platform
die Ermäßigung, -en	reduction
die Figur, -en	character
die Garderobe, -n	cloakroom; wardrobe
die Hauptrolle, -n	main role *or* part
die Komödie, -n	comedy
die Oper, -n	opera; opera house
die Reklame, -n	advertisement
die Rolle, -n	role, part
die Saison, -s	season
die Schauspielerin, -nen	actress
die Schlange, -n	queue
die Seifenoper, -n	soap opera
die Show, -s	show
die Szene, -n	scene
die Theatergruppe, -n	dramatic society
die Tragödie, -n	tragedy

❏ **Important words** *(nt)*

das Ballett, -e	ballet
das Drama, Dramen	drama
das Foyer, -s	foyer
das Kostüm, -e	costume
das Kriminalstück, -e	thriller
das Make-up	make-up
das Musical, -s	musical
das Opernglas, ¨-er	(pair of) opera glasses
das Orchester	orchestra; band
das Parkett, -e	stalls *(pl)*
das Schauspiel, -e	play
das Schauspielhaus, (-häuser)	theatre

❒ Useful words *(m)*

der Abgang, ⁀e	exit *(of actor)*
der Auftritt, -e	entrance *(of actor)*; scene *(of play)*
der Beifall	applause
der Intendant, -en	stage manager
der Orchesterraum, (-räume)	orchestra pit
der Produzent, -en	(film) producer
der Regisseur, -e	producer; director
der Souffleur, -e	prompter
der Spielfilm, -e	feature film
der Western	western

❒ Useful words *(f)*

die Farce, -n	farce
die Galerie, -n	the "gods", gallery
die Generalprobe, -n	dress rehearsal
die Inszenierung, -en	production
die Kapelle, -n	band
die Kritik, -en	review
die Leinwand, ⁀e	screen
die Loge, -n	box
die Pause, -n	interval
die Platzanweiserin	usherette, attendant
die Probe, -n	rehearsal
die Schauspielkunst	acting
die Souffleuse, -n	prompter
die Tribüne, -n	platform
die Zugabe, -n	encore

❒ Useful words *(nt)*

das Lustspiel, -e	comedy
das Plakat, -e	poster, notice
das Rampenlicht	footlights *(pl)*
das Scheinwerferlicht, -er	spotlight
das Trauerspiel, -e	tragedy

❐ Essential words *(m)*

der Abend, -e	evening
der Augenblick, -e	moment, instant
der Beginn, -e	beginning
der Mittag, -e	mid-day, noon
der Moment, -e	moment
der Monat, -e	month
der Morgen	morning
der Nachmittag, -e	afternoon
der Tag, -e	day
der Vormittag, -e	morning
der Wecker	alarm clock

❐ Essential words *(f)*

die Armbanduhr, -en	(wrist) watch
die Jahreszeit, -en	season
die Minute, -n	minute
die Mitte	middle
die Mitternacht, ¨e	midnight
die Nacht, ¨e	night; night-time
die Sekunde, -n	second
die halbe Stunde, -n -n	half-hour, half-an-hour
die Stunde, -n	hour
die Tageszeit, -en	daytime
die Uhr, -en	clock; time
die Viertelstunde, -n	quarter of an hour
die Weile, -n	while, short time
die Woche, -n	week
die Zeit, -en	time

❐ Essential words *(nt)*

das Datum, Daten	date
das Ende, -n	end
das Jahr, -e	year
das Jahrhundert, -e	century
das Mal, -e	time, occasion
das Wochenende, -n	weekend

Useful phrases

um 7 Uhr aufstehen *to get up at 7 o'clock*
um 11 Uhr zu Bett gehen *to go to bed at 11 o'clock*
wie viel Uhr ist es?, wie spät ist es? *what time is it?*
den Wievielten haben wir heute? *what is today's date?*
früh *early;* **spät** *late;* **bald** *soon;* **später** *later*
fast *almost;* **pünktlich** *punctual*
es ist gerade *or* **Punkt 2 Uhr** *it is exactly 2 o'clock*
halb 3 *half past 2;* **halb 9** *half past 8*
gegen 8 Uhr *round about 8 o'clock*
es ist Viertel nach 5/Viertel vor 5 *it is a quarter past 5/
  a quarter to 5*

vorgestern	the day before yesterday
gestern	yesterday
am vorigen *or* **vorhergehenden Tag**	the day before, the previous day
heute	today
heute Abend	tonight
morgen	tomorrow
am nächsten *or* **folgenden Tag**	the next *or* following day
übermorgen	the day after tomorrow
am übernächsten Tag	two days later
vierzehn Tage	a fortnight

Useful phrases

morgens *in the morning;* **nachmittags** *in the afternoon*
abends *in the evening;* **nachts** *at night, by night*
tagsüber, am Tage *during the day;* **stündlich** *hourly*
täglich *daily;* **wöchentlich** *weekly*
monatlich *monthly;* **jährlich** *annually;* **heutzutage** *nowadays*

❒ **Important words** *(f)*

die Essenszeit, -en	mealtime
die Gelegenheit, -en	opportunity, occasion
die Kuckucksuhr, -en	cuckoo clock
die Uhrzeit, -en	time of day

Useful phrases

einen Augenblick! *just a minute!*
in diesem/dem Augenblick *at this/that moment*
im selben Augenblick *at that very moment*
ich habe keine Zeit (dazu) *I have no time (for it)*
(sich) die Zeit vertreiben *to pass the time*
es ist Zeit zum Essen *it is time for lunch (dinner etc)*
eine Zeit lang bleiben *to stay for a while*
anderthalb Stunden warten *to wait an hour and a half*
damals *at that time*
nie, niemals *never;* **jemals** *ever*
diesmal *this time;* **ein anderes Mal** *another time*
nächstes Mal *next time*
das erste/letzte Mal *the first/last time*
zum ersten/letzten Mal *for the first/last time*
am Wochenende *at the weekend*
über das Wochenende *for the weekend*
ich habe es eilig *I'm in a hurry*
ich habe keine Eile *I'm in no hurry*
es hat keine Eile *there's no hurry*

❑ Useful words *(m)*

der Einbruch der Nacht	nightfall
der Kalender	calendar
der Tagesanbruch	daybreak
der (Uhr)zeiger	hand (of clock etc)
der Zeitabschnitt, -e	time, period

❑ Useful words *(f)*

die Epoche, -n	epoch, period
die Gegenwart	present (time, tense)
die Mittagszeit, -en	lunch time
die Pause, -n	interval; pause, break
die Standuhr, -en	grandfather clock
die Stoppuhr, -en	stopwatch
die Vergangenheit	past (time, tense)
die Verspätung, -en	delay (of vehicle)
die Zukunft	future (time, tense)

❑ Useful words *(nt)*

das Futur(um)	future tense
das Jahrtausend, -e	millennium
das Jahrzehnt, -e	decade
das Mittelalter	the Middle Ages
das Präsens	present tense
das Schaltjahr, -e	leap year
das Zeitalter	age, time
das Zifferblatt, ¨-er	(clock) face, dial

Useful phrases

vor einer Woche/einem Monat/2 Jahren *a week/a month/ 2 years ago*
gestern/heute vor einer Woche *a week ago yesterday/today*
gestern/heute vor 2 Jahren *2 years ago yesterday/today*
in einer Woche/einem Monat/2 Jahren *in a week('s time)/a month('s time)/2 years(' time)*
morgen/heute in einer Woche *a week tomorrow/today*

❒ **Essential + important words** *(m)*

der Bastler	handyman
der Bohrer	drill
der Dosenöffner	tin-opener
der Hammer, ⸚	hammer
der Holzhammer, ⸚	mallet
der Klebstoff, -e	glue
der Korkenzieher	corkscrew
der Schlüssel	key

❒ **Essential + important words** *(f)*

die Batterie, -n	battery
die Baustelle, -n	building site
die Gabel, -n	fork
die Maschine, -n	machine; engine
die Werkstatt, ⸚en	workshop

❒ **Essential + important words** *(nt)*

das Ding, -e	thing, object
das Do-it-yourself	do-it-yourself, D.I.Y.
das *or* der Gummi	rubber; gum
das Gummiband, ⸚er	rubber band; elastic
das Kabel	wire; cable
das Schloss, ⸚er	lock

❒ **Useful words** *(nt)*

das Brett, -er	plank, board; shelf
das Gerüst, -e	scaffolding
das Seil, -e	rope, cable
das Tau, -e	rope
das Werkzeug, -e	tool

Useful phrases

basteln: er kann gut basteln *he is good with his hands*
wozu benutzt man . . .? *what do you use . . . for?*
reparieren *to repair;* **etw reparieren lassen** *to have sth repaired*
nageln *to nail;* **sägen** *to saw*

❑ Useful words *(m)*

der Bolzen	bolt
der Büchsenöffner	tin-opener
der Draht, ¨e	wire
der Flaschenöffner	bottle-opener
der Hobel	plane
der Kleb(e)streifen	adhesive tape
der Meißel	chisel
der Nagel, ¨	nail
der Pickel	pick, pickaxe
der Pinsel	paintbrush
der Pressluftbohrer	pneumatic drill
der Schraubenschlüssel	spanner
der Schraubenzieher	screwdriver
der Schraubstock, ¨e	vice
der Stacheldraht, ¨e	barbed wire
der Stift, -e	peg
der Tesafilm®	Sellotape®
der Werkzeugkasten, ¨	toolbox

❑ Useful words *(f)*

die Feder, -n	spring, coil
die Feile, -n	file
die Heftzwecke, -n	drawing pin, thumbtack
die Kelle, -n	trowel
die Leiter, -n	ladder
die Nadel, -n	needle; pin
die Planke, -n	plank
die Reißzwecke, -n	drawing pin, thumbtack
die Säge, -n	saw
die Schaufel, -n	shovel; scoop
die Schere, -n	(pair of) scissors
die Schnur, ¨e	string, cord; wire, flex
die Schraube, -n	screw
die Wasserwaage, -n	spirit level
die Zange, -n	(pair of) pliers

❑ Essential words *(m)*

der Bahnhof, ⁀e	railway station
der Bürgersteig, -e	pavement
der Busbahnhof, ⁀e	bus *or* coach station
der Dom, -e	cathedral
der Laden, ⁀	shop
der Markt, ⁀e	market
der Markttag, -e	market day
der Park, -s	(public) park
der Parkplatz, ⁀e	parking place; car park
der Polizist, -en	policeman
der Turm, ⁀e	tower
der Weg, -e	way

❑ Essential words *(f)*

die Brücke, -n	bridge
die Burg, -en	castle
die Bushaltestelle, -n	bus stop
die Ecke, -n	corner, turning
die Einbahnstraße, -n	one-way street
die Fabrik, -en	factory, works
die Fahrt, -en	journey
die Haltestelle, -n	(bus *or* tram) stop
die Hauptstraße, -n	main road; main street
die Innenstadt, ⁀e	city centre, town centre
die Kirche, -n	church
die Klinik, -en	hospital, clinic
die Polizei	police
die (Polizei)wache, -n	police station
die Post, Postämter	post office
die Reise, -n *or*	tour
die Rundfahrt, -en	
die Stadt, ⁀e	town; city
die Straße, -n	street, road
die Straßenecke, -n	street corner
die Tankstelle, -n	service station, garage
die U-Bahn, -en	underground (railway)

❏ Essential words (nt)

das Büro, -s	office
das Geschäft, -e	shop
das Heft, -e	book (of tickets)
das Hotel, -s	hotel
das Kaufhaus, (-häuser)	department store
das Kino, -s	cinema
das Krankenhaus, (-häuser)	hospital
das Museum, Museen	museum
das Parken	parking
das Parkhaus, (-häuser)	(covered) car park
das Postamt, ¨er	post office
das Rathaus, (-häuser)	town hall
das Restaurant, -s	restaurant
das Schloss, ¨er	castle
das Stadtzentrum, -tren	city centre, town centre
das Straßenschild, -er	roadsign
das Taxi, -s	taxi
das Theater	theatre
das Verkehrsamt, ¨er	tourist information centre

Useful phrases

in die Stadt gehen or **fahren** *to go into town*
in der Stadtmitte *in the centre of town*
eine Stadtrundfahrt machen *to go on a tour of the city*
die Straße übergehen *to cross the road*
die Sehenswürdigkeiten besichtigen *to have a look at the sights*

❐ **Important words** *(m)*

der Betrieb	bustle
der Bezirk, -e	district
der Biergarten, ∵	beer garden
der Bürgermeister	mayor
der Einwohner	inhabitant
der Fahrscheinautomat, -en	ticket machine
der Fahrscheinentwerter	automatic ticket stamping machine
der Friedhof, ∵e	cemetery, graveyard
der Fußgänger	pedestrian
der Kreisverkehr	roundabout
der Platz, ∵e	square
der Verkehr	traffic
der Verkehrsstau, -e	traffic jam
der Zebrastreifen	zebra crossing

❐ **Important words** *(f)*

die Aussicht, -en	view
die Bürgermeisterin	female mayor
die Feuerwehrwache, -n	fire station
die Fußgängerzone, -n	pedestrian precinct
die Menge, -n	crowd
die Schlange, -n	queue
die Sehenswürdigkeiten *(pl)*	sights, places of interest
die Umgebung, -en	the surroundings *(pl)*

❐ **Important words** *(nt)*

das Denkmal, ∵er	monument
das Fahrzeug, -e	vehicle
das Gebäude	building
das Tor, -e	gate(way), arch

❏ Useful words *(m)*

der Abwasserkanal, ⸚e	sewer
der Bürger	citizen
der Fußgängerüberweg, -e	pedestrian crossing
der Kinderwagen	pram
der Landkreis, -e	(like British) county
der Marktplatz, ⸚e	market place
der Ort, -e	place, spot
der Passant, -en	passer-by
der Pfad, -e	path
der Pflasterstein, -e	paving stone
der Rad(fahr)weg, -e	cycle path *or* track
der Stadtbewohner *or* der Städter	town dweller
der Stadtrand, ⸚er	the outskirts *(pl)*
der Straßenübergang, ⸚e	pedestrian crossing
der Taxistand, ⸚e	taxi rank
der Umzug, ⸚e	parade
der Wegweiser	roadsign
der Wohnblock, -s	block of flats
der Wolkenkratzer	skyscraper

Useful phrases

in der Stadt/am Stadtrand wohnen *to live in the town/ in the suburbs*
auf dem Platz *in or on the square*
an der Ecke *at or on the corner*
zum Markt gehen, auf den Markt gehen *to go to the market*
Weihnachtsmarkt *Christmas fair*
zu Fuß gehen *to walk*
mit dem Bus/mit dem Zug fahren *to go by bus/by train*
ein Taxi anrufen *to call a taxi*
ins Theater/ins Kino gehen *to go to the theatre/the cinema*
modern *modern*; **alt** *old*
sauber *clean*; **schmutzig** *dirty*
typisch *typical*; **ziemlich** *quite*; **sehr** *very*

❏ Useful words *(f)*

die Altstadt	old (part of) town
die Baustelle, -n	building site; roadworks
die Bevölkerung, -en	population
die Gasse, -n	lane, back street
die Großstadt, ⁼e	city
die Kreuzung, -en	crossroads
die Kunstgalerie, -n	art gallery
die Leuchtreklame, -n	neon sign
die Meinungsumfrage, -n	opinion poll
die Parkuhr, -en	parking meter
die Prozession, -en	procession
die Sackgasse, -n	dead end
die Siedlung, -en	housing estate
die Sozialwohnung, -en	council flat *or* house
die Spitze, -n	spire
die Stadtmitte, -n	town centre; city centre
die Statue, -n	statue
die Straßenbahn, -en	tram
die Straßenlaterne, -n	street lamp
die Tour, -en	tour
die Umgehungsstraße, -n	by-pass
die Umleitung, -en	diversion
die Vorstadt, ⁼e	suburbs *(pl)*

❏ Useful words *(nt)*

das Gedränge	crowd
das Industriegebiet, -e	industrial area
das Kopfsteinpflaster	cobblestones
das Plakat, -e	poster, notice
das Schild, -er	sign
das (Stadt)viertel	district
das Werk, -e	factory, works
das Wohngebiet, -e	built-up area
das Zentrum, -tren	city centre

Useful phrases

„Betreten der Baustelle verboten" *"building site: keep out"*
„Anlieger frei" *"residents only"*
„Vorsicht, bissiger Hund!" *"beware of the dog"*
„Fußgängerzone" *"pedestrian precinct"*
„bitte freihalten" *"please keep clear"*
„Parken verboten" *"no parking"*
„Vorfahrt achten!" *"give way"*

❐ Essential words (m)

der Ausgang, ¨-e	exit
der Ausstieg, -e	exit *(from train)*
der Bahnhof, ¨-e	station
der Bahnsteig, -e	platform
der D-Zug, ¨-e *(Durchgangszug)*	through train
der Eilzug, ¨-e	limited-stop train
der Eingang, ¨-e	entrance
der Einstieg, -e	entrance *(onto train)*
der Entwerter	ticket punching machine
der Fahrgast, ¨-e	passenger
der Fahrkartenschalter	ticket *or* booking office
der Fahrschein, -e	ticket
der Fahrplan, ¨-e	timetable
der Hauptbahnhof, ¨-e	main *or* central station
der Intercity(zug), -s/(¨-e)	inter-city train
der Koffer	case, suitcase
der Kofferkuli, -s	luggage trolley
der Nahverkehrszug, ¨-e	local train
der Passagier, -e	passenger
der Reisende(r), -n	traveller
der Rucksack, ¨-e	rucksack, backpack
der Schnellimbiss, -e	snack bar
der Schnellzug, ¨-e	fast train, express train
der Speisewagen	dining car
der U-Bahnhof, ¨-e	underground station
der Wagen	carriage, coach
der Zug, ¨-e	train
der Zuschlag, ¨-e	supplement

❐ Essential words (nt)

das Gepäck	luggage
das Gleis, -e	platform; track, rails
das Rad, ¨-er	bike
das Schließfach, ¨-er	left luggage locker
das Taxi, -s	taxi

❏ Essential words (f)

die Abfahrt, -en	departure
die Ankunft, ⁔e	arrival
die Auskunft, ⁔e	information; information desk or office
die Bahn, -en	railway
die Bahnlinie, -n	railway line
die Brücke, -n	bridge
Deutsche Bahn (DB)	German Railways
die Einfahrt, -en	entrance
die (einfache) Fahrkarte, (-n) -n	(single) ticket
die Fahrt, -en	journey
die Haltestelle, -n	stop, station
die Klasse, -n	class
die Linie, -n	line
die Reise, -n	journey
die Richtung, -en	direction
die Rückfahrkarte, -n	return ticket
die S-Bahn, -en	high-speed railway; suburban railway
die Station, -en	station
die Tasche, -n	bag
die U-Bahn, -en (*Untergrundbahn*)	underground (railway)
die U-Bahnstation, -en	underground station
die Uhr, -en	clock; time

Useful phrases

auf dem Bahnhof *at the station*
sich erkundigen *to make inquiries*
einen Platz reservieren *to book a seat*
nach Bonn einfach *a single to Bonn*
nach Bonn und zurück *a return to Bonn*
zweimal nach Bonn und zurück *two returns to Bonn*
für diese Züge muss man Zuschlag bezahlen *you have to pay a supplement on these trains*
„bitte einsteigen!" *"all aboard"*; „alles aussteigen!" *"all change"*
muss ich umsteigen? *do I have to change trains?*

❒ **Important words** *(m)*

der Anschluss, ̈-e	connection
der Dienst, -e	service
der Dienstwagen	guard's van
der Eisenbahner	railwayman
der Fahrausweis, -e	ticket
der Gepäckwagen	luggage van
der ICE, -s *or*	high-speed inter-city (train)
der Intercityexpress	
der Liegewagen	couchette
der Lokomotivführer	train driver
der Platz, ̈-e	seat
der Schaffner	guard; ticket collector
der Schlafwagen	sleeping car, sleeper
der Zollbeamte, -n	customs officer

❒ **Important words** *(f)*

die Bahnhofsgaststätte, -n	station buffet
die Bremse, -n	brake
die Eisenbahn, -en	railway
die Gepäckaufbewahrung, -en	left luggage office
die Grenze, -n	border, frontier
die Mehrfahrtenkarte, -n	season ticket
die Notbremse, -n	alarm, communication cord
die Verbindung, -en	connection
die Verspätung, -en	delay
die Zollkontrolle, -n	customs control *or* check

❒ **Important words** *(nt)*

das Abteil, -e	compartment
das Fahrgeld, -er	fare
das Gepäcknetz, -e	luggage rack
das Nichtraucherabteil, -e	non-smoking compartment
das Raucherabteil, -e	smoking compartment
das (Reise)ziel, -e	destination

❒ Useful words *(m)*

der Anhänger	label, tag
der Bahnübergang, ¨-e	level crossing
der Bestimmungsort, -e	destination *(of goods)*
der Fahrpreis, -e	fare
der Gepäckträger	porter
der Güterzug, ¨-e	goods train
der Personenzug, ¨-e	slow train; passenger train
der Pfiff, -e	whistle
der Schrankkoffer	trunk
der Taxistand, ¨-e	taxi rank
der Vorortzug, ¨-e	commuter train
der Wartesaal, (-säle)	waiting room

❒ Useful words *(f)*

die Bahncard, -s	railcard
die (Eisenbahn)schienen *(pl)*	rails
die Endstation, -en	terminus
die Entgleisung, -en	derailment
die Lokomotive, -n	locomotive, engine
die Monatskarte, -n	monthly season ticket
die Nummer, -n	number
die Reservierung, -en	reservation
die Rolltreppe, -n	escalator
die Schienen *(pl)*	rails
die Schranke, -n	level crossing gate
die Sperre, -n	barrier
die Strecke, -n	(section of) railway line *or* track
die Wochenkarte, -n	weekly ticket

Useful phrases

mit der Bahn by rail
den Zug erreichen/verpassen to catch/miss one's train
ist dieser Platz frei? is this seat free?
hier ist besetzt this seat is taken
„nicht hinauslehnen" "do not lean out of the window"
verspätet delayed

❏ Useful words *(f)*

die Beere, -n	berry
die Birke, -n	birch
die Blutbuche, -n	copper beech
die Buche, -n	beech tree
die Eibe, -n	yew
die Eiche, -n	oak
die Esche, -n	ash
die Fichte, -n	spruce, pine
die Föhre, -n	Scots pine
die Kastanie, -n	chestnut; chestnut tree
die Kiefer, -n	pine
die Knospe, -n	bud
die Linde, -n	lime tree
die Mistel, -n	mistletoe
die Pappel, -n	poplar
die Pinie, -n	pine
die Platane, -n	plane tree
die Rinde, -n	bark
die Rosskastanie, -n	horse chestnut
die Stechpalme, -n	holly
die Tanne, -n	fir tree
die Trauerweide, -n	weeping willow
die Ulme, -n	elm
die Weide, -n	willow
die Wurzel, -n	root

❏ Important + useful words *(nt)*

das Blatt, ¨er	leaf
das Geäst *(sg)*	branches
das Gebüsch *(sg)*	bushes; undergrowth
das Holz, ¨er	wood *(material)*

Useful phrases

auf einen Baum klettern *to climb a tree*
im Herbst werden die Blätter gelb *the leaves turn yellow in autumn*
im Schatten eines Baums *in the shade of a tree*

❏ Essential + important words *(m)*

der Baum, Bäume	tree
der Christbaum, (-bäume)	Christmas tree
der Forst, -e	forest
der Obstbaum, (-bäume)	fruit tree
der Obstgarten, ∺	orchard
der Schatten	shade, shadow
der Wald, ∺er	wood(s), forest
der Weihnachtsbaum, (-bäume)	Christmas tree

❏ Useful words *(m)*

der Ahorn, -e	maple
der Ast, ∺e	branch
der Buchsbaum, (-bäume)	box tree
der Busch, ∺e	bush, shrub
der Eich(en)baum, (-bäume)	oak tree
der Kastanienbaum, (-bäume)	chestnut tree
der Kiefernzapfen	pine cone
der Mistelzweig, -e	(sprig of) mistletoe
der Rotdorn, -e	hawthorn
der Stamm, ∺e	trunk
der Strauch, Sträucher	bush, shrub
der Tannenbaum, (-bäume)	fir tree
der Tannenzapfen	fir cone
der Weidenbaum, (-bäume)	willow
der Weinberg, -e	vineyard
der Wipfel	tree-top
der Zweig, -e	branch

❑ **Essential words** *(m)*

der Champignon, -s	(button) mushroom
der Kohl, -e	cabbage
der Kopfsalat, -e	lettuce
der Salat, -e	lettuce; salad

❑ **Important words** *(m)*

der Blumenkohl, -e	cauliflower
der Knoblauch	garlic
der Pilz, -e	mushroom
der Rosenkohl	Brussels sprouts *(pl)*
der Vegetarier	vegetarian

❑ **Useful words** *(m)*

der Gartenkürbis, -se	marrow
der Kürbis, -se	pumpkin
der Lauch, -e	leek
der Mais	sweetcorn
der Maiskolben	corn on the cob
der (rote/grüne) Paprika, (-n) -s	(red/green) pepper
der Porree, -s	leek
der Rettich, -e	*(large)* radish
der Rotkohl, -e	red cabbage
der *or die* Sellerie	celeriac; celery
der Spargel	asparagus
der Spinat	spinach
der *or die* Stangensellerie	celery
der Weißkohl, -e	white cabbage

Useful phrases

Gemüse anbauen *to grow vegetables;* **organisch** *organic*
Salzkartoffeln *(pl) boiled potatoes*
Pellkartoffeln *(pl) potatoes boiled in their jackets*
Bratkartoffeln *(pl) fried or sauté potatoes*
Knoblauchwurst *(f) garlic sausage*
geraspelte Möhre *grated carrot*
rot wie eine Tomate *as red as a beetroot*
vegetarisch *vegetarian*

❑ Essential words *(f)*

die Bohne, -n	bean
die grüne Bohne, -n -n	French bean
die Erbse, -n	pea
die Kartoffel, -n	potato
die Tomate, -n	tomato
die Zwiebel, -n	onion

❑ Important words *(f)*

die Aubergine, -n	aubergine
die Avocado, -s	avocado (pear)
die Brokkoli *(pl)*	broccoli
die Gurke, -n	cucumber
die Karotte, -n	carrot
die Vegetarierin	vegetarian

❑ Useful words *(f)*

die Artischocke, -n	artichoke
die Aubergine, -n	aubergine
die Brunnenkresse	watercress
die Endivie, -n	endive
die Erdartischocke, -n	Jerusalem artichoke
die Essiggurke, -n	gherkin
die Kresse	cress
die Möhre, -n; die Mohrrübe, -n	carrot
die Paprikaschote, -n	pepper, capsicum
die Pastinake, -n	parsnip
die Petersilie	parsley
die Rübe, -n	turnip
die Rote Bete or Rübe, -n -n	beetroot
die Zucchini	courgette

❑ Essential + important words *(nt)*

das Gemüse	vegetable(s)
das Kraut, Kräuter	herb; cabbage
das Radieschen	radish
das Sauerkraut	pickled cabbage

❏ **Essential words** *(m)*

der Bus, -se	bus
der Dampfer	steamer
der Krankenwagen	ambulance
der Lastkraftwagen (LKW)	lorry, truck; heavy goods vehicle
der Personenkraftwagen (PKW)	private car
der Polizeiwagen	police car
der Straßenbahnwagen	tramcar
der Tanker	tanker
der Wagen	car; cart; carriage
der Wohnwagen	caravan
der Zug, ⸚e	train

❏ **Essential words** *(f)*

die Fähre, -n	ferry
die Straßenbahn, -en	tram
die U-Bahn, -en	underground

❏ **Essential words** *(nt)*

das Auto, -s	car
das Boot, -e	boat
das Fährboot, -e	ferry-boat
das Fahrrad, ⸚er	bicycle
das Flugzeug, -e	plane, aeroplane
das Mofa, -s	moped *(small)*
das Motorboot, -e	motorboat
das Motorrad, ⸚er	motorbike, motorcycle
das Rad, ⸚er	bike
das Ruderboot, -e	rowing boat
das Schiff, -e	ship, vessel
das Taxi, -s	taxi
das Wohnmobil, -e	camper, motor caravan

> ### Useful phrases

reisen *to travel*
fahren *to go*
eine Reise machen *to go on a journey*
gute Reise! *have a good trip!*
mit der Bahn or **dem Zug fahren** *to go by rail* or *by train*
mit dem Auto fahren *to drive, go by car*
nach Frankfurt fliegen *to fly to Frankfurt*
zu Fuß gehen *to walk, go on foot*
trampen, per Anhalter fahren *to hitch-hike*
mit einer Höchstgeschwindigkeit von 100 Kilometern pro Stunde fahren *to drive at a maximum speed of 100 kilometres per hour*
seine Fahrkarte entwerten *to cancel one's ticket (in machine)*
Gebrauchtwagen *second-hand cars*
mieten *to hire*
ein Mietauto *(nt) a hired car*
öffentliche Verkehrsmittel *(pl) public transport*

❐ **Important words** *(m)*

der Bulldozer	bulldozer
der Fahrpreis, -e	fare
der Feuerwehrwagen	fire engine
der Flugzeugträger	aircraft carrier
der Hubschrauber	helicopter
der Jeep, -s	jeep
der Kindersportwagen	baby buggy, push-chair
der Lieferwagen	van; delivery van
der Möbelwagen	removal van, furniture van
der (Motor)roller	(motor) scooter
der (Reise)bus, -se	coach
der Rücksitz, -e	back seat
der Transporter	van; transporter
der Vordersitz, -e	front seat

❐ **Important words** *(f)*

die Autofähre, -n	car ferry
die fliegende Untertasse, -n -n	flying saucer
die Gefahr, -en	danger, risk
die Lokomotive, -n	locomotive, engine

❐ **Important words** *(nt)*

das Fahrgeld, -er	fare
das Fahrzeug, -e	vehicle
das Feuerwehrauto, -s	fire engine
das Kanu, -s	canoe
das Moped, -s	moped
das Raumschiff, -e	spaceship
das Rettungsboot, -e	lifeboat
das Schnellboot, -e	speedboat
das Segelboot, -e	sailing boat
das UFO, -s	UFO *(unidentified flying object)*

❐ Useful words *(m)*

der Anhänger	trailer
der Karren	cart
der Kinderwagen	pram
der Kombiwagen	estate car, station wagon
der Lastkahn, ¨-e	barge
der (Luft)ballon, -s *or* -e	balloon
der Omnibus, -se	bus
der Panzer	tank
der Sattelschlepper	articulated lorry
der Schleppdampfer; der Schlepper	tug, tugboat
der Sessellift, -e *or* -s	chairlift
der Streifenwagen	(police) patrol car
der Vergnügungsdampfer	pleasure steamer

❐ Useful words *(f)*

die Dampfwalze, -n	steamroller
die Drahtseilbahn, -en	cable railway, funicular
die Düse, -n	jet (plane)
die Jacht, -en	yacht
die Planierraupe, -n	bulldozer
die Rakete, -n	rocket
die Schwebebahn, -en	cable *or* overhead railway

❐ Useful words *(nt)*

das Düsenflugzeug, -e	jet plane
das Luftkissenboot, -e	hovercraft
das Paddelboot, -e	canoe
das Schlauchboot, -e	inflatable dinghy
das Segelflugzeug, -e	glider
das Tankschiff, -e	tanker
das Transportmittel	means of transport *(goods)*
das U-Boot, -e (*Unterseeboot*)	submarine
das Verkehrsmittel	means of transport *(passengers)*

❏ **Essential words** (m)

der Abend, -e	evening
der Berg, -e	mountain
der Blitz, -e	(flash of) lightning
der Donner	thunder
der Frost, ¨e	frost
der Frühling, -e	spring
der Grad, -e	degree
der Herbst, -e	autumn
der Himmel	sky; heaven
der Monat, -e	month
der Morgen	morning
der Nachmittag, -e	afternoon
der Nebel	fog, mist
der Nord(en)	north
der Ort, -e or ¨er	place
der Osten	east
der Regen	rain
der Schnee	snow
der Schneesturm, ¨e	snowstorm
der Sommer	summer
der Sonnenschein	sunshine
der Sturm, ¨e	storm, gale; tempest
der Süden	south
der Westen	west
der Wind, -e	wind
der Winter	winter

Useful phrases

blitzen *to flash* (es blitzt); donnern *to thunder* (es donnert)
frieren *to freeze* (es friert); gießen *to pour* (es gießt)
nieseln *to drizzle* (es nieselt); regnen *to rain* (es regnet)
scheinen *to shine* (die Sonne scheint)
schneien *to snow* (es schneit)
es fängt an zu schneien *it's beginning to snow*

❐ **Essential words** *(f)*

die Insel, -n	island
die Jahreszeit, -en	season
die Luft	air
die Nacht, ¨e	night
die Natur	nature
die Sonne	sun
die Temperatur, -en	temperature
die Welt	world
die Wolke, -n	cloud

❐ **Essential words** *(nt)*

das Eis	ice
das Gewitter	thunderstorm
das Glatteis	black ice
das Jahr, -e	year
das Land, ¨er	country
das Licht, -er	light
das Wetter	weather

Useful phrases

wie ist das Wetter heute? *what's the weather like today?*
wie ist das Wetter bei euch? *what's the weather like with you?*
wie ist die Wettervorhersage? *what's the weather forecast?*
heiß *hot;* **kalt** *cold*
warm *warm;* **kühl** *cool*
herrlich *marvellous;* **schön** *lovely;* **schrecklich** *terrible*
sonnig *sunny;* **windig** *windy*
mild *mild;* **rau** *harsh*
schwül *sultry, close;* **trüb** *dull*
bedeckt *overcast;* **bewölkt** *cloudy*
stürmisch *stormy;* **neblig** *misty*
trocken *dry;* **nass** *wet;* **feucht** *damp*
heiter *bright;* **regnerisch** *rainy*

❒ Important words *(m)*

der Donnerschlag, ⸚e	thunderclap
der Hagel	hail
der Mond	moon
der Mondschein	moonlight
der Niederschlag, ⸚e	rainfall, precipitation
der Planet, -en	planet
der Regenschauer	shower of rain
der (Regen)schirm, -e	umbrella
der Regentropfen	raindrop
der Schatten	shadow; shade
der Schauer	shower
der Schneefall, ⸚e	snowfall
der Schneeregen	sleet
der Smog	smog
der Sonnenschirm, -e	parasol, sunshade
der Stern, -e	star
der Wetterbericht, -e	weather report

❒ Important words *(f)*

die Front, -en	front
die Hitze	heat
die Kälte	cold
die Verbesserung, -en	improvement
die Wetterlage	weather situation
die Wettervorhersage, -n	weather forecast

❒ Important words *(nt)*

das Halbdunkel	semi-darkness
das Klima, -s *or* -ta	climate
das Mondlicht	moonlight
das Sauwetter	awful weather

> **Useful phrases**
>
> **herrschen** to prevail; **zeitweise** for a time
> **vereinzelt bewölkt** with (occasional) cloudy patches
> **plus** plus; **minus** minus
> **so ein Sauwetter!** what awful weather!

❏ Useful words *(m)*

der Blitzableiter	lightning conductor
der Dunst	haze
der Eiszapfen	icicle
der Gefrierpunkt	freezing point
der Hochdruck	high pressure
der Orkan, ¨-e	hurricane
der Platzregen	downpour
der Regenbogen	rainbow
der Sonnenaufgang, ¨-e	sunrise
der Sonnenstrahl, -en	ray of sunshine
der Sonnenuntergang, ¨-e	sunset
der Tagesanbruch	dawn, break of day
der Tau	dew
der Tiefdruck	low pressure
der Windstoß, ¨-e	gust of wind

❏ Useful words *(f)*

die Atmosphäre	atmosphere
die Aufheiterungen *(pl)*	bright periods
die Bö, -en	squall, gust of wind
die Brise, -n	breeze
die Dürre, -n	(period of) drought
die Flut, -en	flood
die Hitzewelle, -n	heat wave
die Kältewelle, -n	cold spell
die (Morgen)dämmerung, -en	dawn
die Schneeflocke, -n	snowflake
die Schneewehe, -n	snowdrift
die Überschwemmung, -en	flood, deluge

❏ Useful words *(nt)*

das Barometer	barometer
das Schneegestöber	flurry of snow
das Tauwetter	thaw
das Unwetter	thunderstorm
das Zwielicht	twilight

❒ **Essential words** *(m)*

der Ausweis, -e	card
der Empfang, ⏜e	reception
der Herbergsvater, ⏜	warden
der Junge, -n	boy
der Rucksack, ⏜e	backpack, rucksack
der Schlafsack, ⏜e	sleeping bag
der Spaziergang, ⏜e	walk
der Speisesaal, (-säle)	dining room
der Stadtplan, ⏜e	street map
der Urlaub, -e	holiday(s)

❒ **Essential words** *(f)*

die Anmeldung, -en	registration
die Dusche, -n	shower
die Herbergsmutter, ⏜	(female) warden
die Jugendherberge, -n	youth hostel
die Küche, -n	kitchen
die Landkarte, -n	map
die Mahlzeit, -en	meal
die Toilette, -n	toilet
die Übernachtung, -en	overnight stay

❒ **Essential words** *(nt)*

das Abendessen	dinner, evening meal
das Badezimmer	bathroom
das Bett, -en	bed
das Büro, -s	office
das Essen	food; meal
das Frühstück, -e	breakfast
das Mädchen	girl

❑ **Important words** *(m)*

der Aufenthalt, -e	stay
Erwachsene(r), -n	adult
der Feuerlöscher	fire extinguisher
Jugendliche(r), -n	young person
der Mülleimer	dustbin
der Prospekt, -e	leaflet, brochure
der Reiseführer	guidebook
der Schlafsaal, (-säle)	dormitory
der Waschraum, (-räume)	washroom
der Waschsalon, -s	laundrette
der Zimmernachweis, -e	accommodation office

❑ **Important words** *(f)*

die Bettwäsche	bed linen, bedclothes *(pl)*
die Mitgliedskarte, -n	membership card
die Nachtruhe	lights-out
die Ruhe	quiet
die Unterkunft, (-künfte)	accommodation
die Veranstaltung, -en	organization
die Wäsche	washing *(things)*

❑ **Important words** *(nt)*

das Etagenbett, -en	bunk bed
das schwarze Brett, -n -er	notice board

┌─── **Useful phrases** ───

bleiben *to stay*
übernachten *to spend the night*
sich anmelden *to register*
mieten *to hire*
„Hausordnung für Jugendherbergen" *"youth hostel rules"*

The vocabulary items on pages 206 to 229 have been grouped under parts of speech rather than topics because they can apply in a wide range of circumstances. Use them just as freely as the vocabulary already given.

❐ Adjectives

abgenutzt worn out (*object*)
abscheulich hideous
ähnlich (+ *dat*) similar (to), like
aktuell topical
albern silly, foolish
allerlei all kinds of
allgemein general
alltäglich ordinary; daily
alt old
amüsant amusing
andere(r, s) other
anders different
angenehm pleasant
angrenzend neighbouring
arm poor
artig well-behaved, good
aufgeregt excited
aufgeweckt bright, lively
aufrichtig sincere
ausführlich detailed, elaborate
ausgestreckt stretched (out)
ausgezeichnet excellent
ausschließlich sole, exclusive
außerordentlich extra-ordinary
befriedigend satisfactory
begeistert keen, enthusiastic
belebt busy (*street*)
beleuchtet illuminated

beliebt popular
bemerkenswert remarkable
benachbart neighbouring
bereit ready
berühmt famous
beschäftigt (mit) busy (with) (*of person*)
besetzt engaged; taken
besondere(r, s) special
besorgt worried, anxious
besser better
betrunken drunk
beunruhigt worried, disturbed
blöd silly, stupid
brav well-behaved
breit wide, broad
bunt colourful
dankbar grateful
dauernd perpetual, constant
delikat delicate; delicious
deutlich clear; distinct
dicht thick, dense
dick thick
doof daft, stupid
dreckig dirty, filthy
dringend urgent
dumm silly, stupid; annoying
dunkel dark
dünn thin
dynamisch dynamic

echt real, genuine
ehemalig old, former
ehrlich sincere, honest
eifrig keen, enthusiastic
eigen own
einfach simple; single
einzeln single, individual
einzig only
elegant elegant, smart
elektrisch, Elektro- electric
elend poor, wretched
End- final
endgültig final, definite
endlos endless
eng narrow; tight
entschlossen firm, determined
entsetzlich dreadful
entzückend delightful
erfahren experienced
ernst serious, solemn
ernsthaft serious, earnest
erreichbar reachable, within reach
erschöpft exhausted, worn out
erste(r, s) first
erstaunlich amazing, extraordinary
erstaunt astonished
fähig (zu) capable (of)
falsch false; wrong
faul rotten; lazy
feierlich solemn
fein fine
fern far-off, distant
fertig prepared, ready
fest firm, hard
fett fat; greasy

finster dark
flach flat
fortgeschritten advanced
fortwährend continual, endless
frech cheeky
frei free, vacant
frisch fresh
furchtbar frightful
fürchterlich terrible, awful
ganz whole, complete
geduldig patient
geeignet suitable
gefährlich dangerous
gefroren frozen
geheim secret
geheimnisvoll mysterious
gemischt mixed
gemütlich comfortable
genau exact, precise
gerade straight; even
geringste(r, s) slightest, least
gesamt whole, entire
geschichtlich historical
gestattet allowed
gewaltig tremendous, huge
gewalttätig violent
gewiss certain
gewöhnlich usual; ordinary; common
glatt smooth
gleich same; equal
glücklich happy; fortunate
gnädig gracious
gnädige Frau Madam
graziös graceful
grob coarse, rude
groß big, great, large; tall

SUPPLEMENTARY VOCABULARY 208

großartig magnificent
günstig suitable, convenient
gut good
hart hard
hässlich ugly
Haupt- main
heftig fierce, violent
heiß hot
hell pale; bright, light
herrlich marvellous
hervorragend excellent
historisch historical
hoch high
höflich polite, civil
hübsch pretty
intelligent intelligent
interessant interesting
jede(r, s) each, every
jung young
kalt cold
kein no, not any
klar clear, sharp
klatschnass soaking wet
klein small, little
klug wise, clever
komisch funny
kompliziert complicated
körperlich physical
kostbar expensive; precious
kostenlos free (of charge)
köstlich delicious
kräftig strong
kühl cool
kurz short
lächelnd smiling
lächerlich ridiculous
lahm lame
Landes- national
lang long; tall (of person)

langsam slow
langweilig boring
laut loud, noisy
lebendig alive; lively
lebhaft lively (of person)
lecker delicious, tasty
leer empty
leicht easy; light (weight)
leidenschaftlich passionate
leise quiet; soft
letzte(r, s) last, latest; final
lieb dear
Lieblings- favourite
linke(r, s) left
lustig amusing; cheerful
sich lustig machen über
  (+ acc) to make fun of
luxuriös luxurious
Luxus- luxury, luxurious
mächtig powerful, mighty
mager thin
mehrere several
merkwürdig strange, odd
Militär-, militärisch military
mindeste(r, s) least
mitleidig sympathetic
modern modern
möglich possible
müde tired
munter lively
mutig courageous
mysteriös mysterious
nächste(r, s) next; nearest
nah(e) near; close
natürlich natural
nett nice, kind
neu new
neugierig curious
niedrig low

nötig necessary
notwendig necessary
nützlich useful
nutzlos useless
obligatorisch compulsory, obligatory
offen open; frank, sincere
offenbar, offensichtlich obvious
öffentlich public
offiziell official
ordentlich (neat and) tidy
Orts- local
pädagogisch educational
passend suitable
persönlich personal
populär popular
prächtig magnificent
privat private; personal
privilegiert privileged
pünktlich punctual
Quadrat-, quadratisch square
rau rough; harsh
rechte(r, s) right
reich rich
reif ripe
rein clean
reizend charming
religiös religious
richtig right, correct
riesig huge, gigantic
romantisch romantic
ruhig quiet, peaceful
rund round
sanft gentle, soft
satt full (*person*)
ich habe es satt I'm fed up (with it)

sauber clean
scharf sharp; spicy
schattig shady
scheu shy
schick smart, chic
schläfrig sleepy
schlank slender, slim
schlau cunning, sly
schlecht bad
schlimm bad
schmal narrow; slender
schmutzig dirty
schnell fast, quick, rapid
schön beautiful
schrecklich terrible; frightful
schroff steep; jagged; brusque
schüchtern shy
schwach weak
schweigsam silent
schwer heavy; serious
schwierig difficult
seltsam strange, odd, curious
sicher sure; safe
sichtbar visible
solche(r, s) such
Sonder- special
sonderbar strange, odd
sorgenfrei carefree
sorgfältig careful
spannend exciting
Stadt-, städtisch municipal, urban
ständig perpetual
stark strong; heavy
steif stiff
steil steep
still quiet, still
stolz (auf + *acc*) proud (of)

streng severe, harsh; strict
stur stubborn
süß sweet
sympathisch likeable
tapfer brave
technisch technical
tief deep
toll mad; terrific
tot dead
tragbar portable
traurig sad
treu true (*friend etc*)
trocken dry
typisch typical
übel wicked, bad
übrig left-over
unartig naughty
unbekannt unknown
uneben uneven
unerträglich unbearable
ungeheuer huge
ungezogen rude
unglaublich incredible
unglücklich unhappy;
  unfortunate
unheimlich weird
unmöglich impossible
ursprünglich original
verantwortlich responsible
verboten prohibited,
  forbidden
verlegen embarrassed
verletzt injured
verliebt in love

vernünftig sensible,
  reasonable
verrückt mad, crazy
verschieden various;
  different
verständlich understandable
viereckig square
volkstümlich popular (*of
  the people*)
voll (+ *gen*) full (of)
vollkommen perfect,
  complete
vollständig complete
vorderste(r, s) front (*row
  etc*)
wach awake
wahr true
warm warm
weich soft
weise wise
weit wide
wert worth
wichtig important
wild fierce, wild
wohlhabend well-off
wunderbar wonderful,
  marvellous
zäh tough
zahlreich numerous
zart gentle, tender
zig umpteen
zufrieden satisfied,
  contented
zusätzlich extra

❑ Adverbs

Many other adverbs have the same form as the adjective.

absichtlich deliberately, on purpose

allein alone, on one's own

allerdings cetainly; of course, to be sure

anders otherwise; differently

äußerst extremely, most

bald soon; almost

besonders especially, particularly

am besten best, best of all

bestimmt definitely, for sure

bloß only, merely

da there; here; then

daher from there; from that

dahin (to) there; then

damals at that time

danach after that; afterwards

dann then

darin in it, in there

deshalb therefore, for that reason

doch after all

dort there

dorthin (to) there

draußen out of doors; outside

drinnen inside; indoors

drüben over there, on the other side

durchaus thoroughly, absolutely

eben exactly; just

eher sooner; rather

eigentlich really, actually

einmal once; one day, **allein** some day

auf einmal all at once

endlich at last, finally

erst first; only (*time*)

erstens first(ly), in the first place

etwa about; perhaps

fast almost, nearly

früh early

ganz quite; completely

gar nicht not at all

gegenwärtig at present, at the moment

genau exactly, precisely

genug enough

gerade just, exactly

geradeaus straight ahead

gern(e) willingly; gladly

gewöhnlich usually

glücklicherweise fortunately

gut well

häufig frequently

heutzutage nowadays

hier here

hierher this way, here

hin und her to and fro

hinten at the back, behind

höchst highly, extremely

hoffentlich I hope, hopefully

immer always

immer noch still

inzwischen meanwhile, in the meantime

irgendwo(hin) (to) somewhere
je ever
jedenfalls in any case
jedesmal each time, every time
jedesmal wenn whenever
je . . . desto: je mehr desto besser the more the better
jemals ever; at any time
jetzt now
kaum hardly, scarcely
keineswegs in no way; by no means
komischerweise funnily (enough), in a funny way
künftig in future
lange for a long time
langsam slowly
lauter (*with pl*) nothing but, only
leider unfortunately
lieber rather, preferably
am liebsten most (of all), best (of all)
links left; on *or* to the left
manchmal sometimes
mehr more
meinetwegen for my sake; on my account
am meisten (the) most
meistens mostly, for the most part
mitten (in) in the middle *or* midst (of)
möglichst as . . . as possible
nachher afterwards
natürlich naturally
neu newly; afresh, anew
neu füllen *etc* to refill *etc*

nicht not
nichtsdestoweniger nevertheless
nie, niemals never
noch still; yet
noch einmal (once) again
normalerweise normally
nun now
nur just, only
oben above; upstairs
oft often
plötzlich suddenly
rechts right; on *or* to the right
richtig correctly; really
rundherum round about, all (a)round
schlecht badly
schließlich finally
schon already
schnell quickly
sehr very, a lot, very much
selbst even
selten seldom, rarely
so so, thus, like this
sofort at once, immediately
sogar even
sogleich at once, straight away
sonst otherwise; or else
spät late
überall(hin) everywhere
übrigens besides, by the way
umher about, around
ungefähr about, approximately
unten below; downstairs; at the bottom

unterwegs on the way
viel much, a lot
vielleicht perhaps, maybe
völlig completely
vorbei by, past
vorher before, previously, beforehand
wahrscheinlich probably
wann(?) when(?)
warum(?) why(?)
weit far
wie(?), wie! how(?), how!
wieder again

wirklich really
wo/woher/wohin/ wovon(?) where/from where/(to) where/from where(?)
ziemlich fairly, rather
zu to
zuerst first; at first
zufällig by chance; by any chance
zurück back
zweitens second(ly), in the second place

❑ Some more nouns

das Abenteuer adventure
der Abhang, ¨e slope
die Abkürzung, -en
 abbreviation; short-cut
der Abschnitt, -e section
die Absicht, -en intention
der Abstieg, -e descent
die Abteilung, -en
 department, section
die Abwesenheit, -en absence
die Ahnung, -en idea,
 suspicion
die Änderung, -en
 alteration, change
der Anfang, ¨e beginning
zu Anfang at the beginning
die Angst, ¨e fear
ich habe Angst (vor + dat)
 I am afraid or frightened
 (of)
die Anmeldung, -en
 announcement
die Anstalten (fpl)
 preparations
die Anstrengung, -en effort
die Antwort, -en answer,
 reply
die Anweisungen (fpl)
 orders, instructions
die Anwesenheit presence
das Anzeichen, sign,
 indication
die Anzeige, -n advertisement
der Apparat, -e machine
das Ärgernis, -se annoyance
die Art, -en way, method;
 kind, sort
auf meine Art in my own way

aller Art of all kinds
der Aufenthalt, -e stay
die Aufmerksamkeit
 attention; attentiveness
die Aufsicht supervision
der Aufstieg, -e ascent
der Ausdruck, ¨e term,
 expression
die Auseinandersetzung,
 -en argument
der Ausgangspunkt, -e
 starting point
die Ausnahme, -n exception
die Ausstellung, -en
 exhibition
die Auswahl, -en (an
 + dat) selection (of)
der Bau construction
die Beaufsichtigung
 supervision
die Bedeutung, -en
 meaning; importance
die Bedingung, -en
 condition, stipulation
das Bedürfnis, -se need
der Befehl, -e order,
 command
die Begabung, -en talent
der Begriff: im Begriff
 sein, etw zu tun to be
 about to do sth
das Beispiel, -e example
zum Beispiel for example
die Bemerkung, -en
 remark
die Bemühung, -en
 trouble, effort
die Berechnung, -en

calculation
der Bescheid, -e message, information
jdm Bescheid sagen to let sb know
sein Bestes tun to do one's best
der Betrag, ⸚e sum, amount (*of money*)
der Blödsinn nonsense
die Botschaft, -en message, news; embassy
die Breite, -n width
der Bursche, -n fellow
die Chance, -n chance, opportunity
der Dank thanks (*pl*)
die Darstellung, -en portrayal, representation
das Denken thinking, thought
das Diagramm, -e diagram
die Dicke, -n thickness; fatness
der Dienst, -e service
die Dimension -en dimension
das Ding, -e thing, object
der Duft, ⸚e smell, fragrance
die Dummheit, -en stupidity; stupid mistake
der Dummkopf, ⸚e idiot
der Dunst, ⸚e vapour
die Ecke, -n corner
die Ehre, -n honour
die Einbildung, -en imagination
der Eindruck, ⸚e impression
der Einfall, ⸚e thought, idea
die Einzelheit, -en detail

die Eleganz elegance
der Empfang, ⸚e reception
die Empfindung, -en feeling, emotion
das Ende, -n end
zu Ende gehen to end
die Entschlossenheit resolution, determination
das Ereignis, -se event
die Erfahrung, -en experience
der Erfolg, -e result; success
das Ergebnis, -se result
die Erinnerung, -en memory, remembrance
die Erklärung, -en explanation
die Erkundigung, -en inquiry
die Erlaubnis, -se permission; permit
das Erlebnis, -se experience
der Ernst seriousness
im Ernst in earnest
das Erstaunen astonishment
die Erwiderung, -en retort
das Exil, -e exile (*state*)
der Feind, -e enemy
die Flamme, -n flame
die Folge, -n order; series; result
die Form, -en form, shape
die Frage, -n question
Fremde(r), -n, die Fremde, -n stranger; foreigner
die Freude, -n joy, delight
die Freundlichkeit, -en kindness

die Freundschaft, -en
friendship
der Frieden peace
die Frische freshness
der Führer guide; leader
die Gebühr, -en fee, charge
das Gedächtnis, -se
memory
der Gedanke, -n thought
die Geduld patience
die Gefahr, -en danger
der Gegenstand, ¨e object
das Gegenteil, -e opposite
im Gegenteil on the
contrary
die Gegenwart present
das Geheimnis, -se
mystery; secret
die Gelegenheit, -en
opportunity, occasion
das Gerät, -e device, tool
das Geräusch, -e sound,
noise
der Geruch, ¨e smell
das Geschick, -e fate; skill
der Geselle, -n fellow
der Gesichtspunkt, -e
point of view
das Glück luck; happiness
der Gott, ¨er god
der (liebe) Gott God
der Grund, ¨e reason
die Gruppe, -n group
die Grüße (mpl) wishes
die Güte kindness
die Hauptsache, -n the
main thing
der Heimweg, -e way home
die Herstellung, -en
manufacture
die Hilfe help
der Hintergrund, ¨e
background
die Hoffnung, -en hope
die Höflichkeit, -en
politeness
die Höhe, -n height; level
die Idee, -n idea
das Interesse, -n interest
der Kampf, ¨e fight, battle
die Kapelle, -n chapel
das Kapitel chapter
die Katastrophe, -n
disaster, catastrophe
die Kenntnis, -se knowledge
der Kerl, -e fellow, chap
die Kette, -n chain
der Klang, ¨e sound
die Klimaanlage air
conditioning
der Kollege, -n, die Kollegin
colleague
die Konstruktion, -en
construction
die Kontrolle, -n control,
supervision
die Kopie, -n copy
der Korb, ¨e basket
die Kosten (pl) cost(s);
expenses
der Kreis, -e circle; district
der Krieg, -e war
der Kurort, -e health resort
der Kuss, ¨e kiss
das Lächeln smile
die Lage, -n situation
die Länge, -n length
die Lang(e)weile boredom

der Lärm noise
der Laut, -e sound
das Leben life
der Lebenslauf, ⸚e CV
das Leid sorrow, grief
der Leiter chief, leader
der Leser, die Leserin reader
das Licht, -er light
die Liebe, -n love
die Linie, -n line
die Liste, -n list
die Literatur literature
das Loch, ⸚er hole
die Lösung, -en solution
die Lücke, -n opening, gap
die Lüge, -n lie
die Lust: ich habe Lust, es zu tun I feel like doing it
die Macht, ⸚e power
das Magazin, -e magazine
der Mangel, ⸚ (an + dat) lack (of), shortage (of)
die Mark (German) mark
die Maschine, -n machine
das Maximum, -a maximum
die Meinung, -en opinion, view
meiner Meinung nach in my opinion
das meiste; die meisten most
die Meldung, -en announcement
die Menge, -n crowd; quantity, lot
das Minimum, -a minimum
die Mischung, -en mixture
das Missgeschick, -e misfortune

das Mitleid sympathy
die Mitteilung, -en communication
das Mittel means; method
das Modell, -e model, version
die Möglichkeit, -en means; possibility
sein Möglichstes tun to do one's best
die Mühe, -n pains, trouble
die Münze, -n coin
der Mut courage, spirit
die Nachrichten (fpl) news; information
der Nachteil, -e disadvantage
die Nähe: in der Nähe close by
das Netz, -e network
die Not need, distress
die Notiz, -en note, item
die Nummer, -n number
das Objekt, -e object
die Öffentlichkeit the general public
die Öffnung, -en opening
die Ordnung, -en order
in Ordnung bringen to arrange, tidy (up)
alles ist in Ordnung everything is all right
der Ort, -e place
das Pech misfortune, bad luck
der Pfeil, -e arrow
das Pfund, -e pound (sterling); pound (weight)

der Plan, ⁓e plan; map
der Platz, ⁓e place; seat; room, space; square
die Politik politics; policy
das Porträt, -s portrait
das Problem, -e problem
das Produkt, -e product; produce
der Punkt, -e point; dot; full stop
die Puppe, -n doll
die Qualität, -en quality
der Radau hullaballoo
der Rand, ⁓er edge; rim
der Rat, -schläge (piece of) advice
das Rätsel puzzle, riddle
der Rauch smoke
der Raum, Räume space; room
das Recht, -e law; justice; right
Recht haben to be right
die Rede, -n speech
eine Rede halten to make a speech
die Regierung, -en government; reign
die Reihe, -n series; line
ich bin an der Reihe it's my turn now
der Reiz, -e attraction, charm
die Reklame, -n advertisement
der Rest remainder, rest
die Reste (mpl) remains
das Resultat, -e result
der Revolutionär, -e revolutionary

der Rhythmus, -men rhythm
die Richtung, -en direction
die Rückseite, -n back (of page etc)
der Ruf, -e call, cry; reputation
die Ruhe rest; peace; calm; silence
die Sache, -n thing; matter
der Schein, -e (bank) note
ein 20-Mark-Schein a 20-mark note
das Schicksal, -e fate
das Schild, -er sign; label
der Schlag, ⁓e blow, knock
der Schluss, ⁓e end(ing)
am Schluss at the end
der Schmutz, die Schmutzigkeit dirt, dirtiness
der Schrei, -e cry, scream
der Schritt, -e footstep; step, pace
die Schuld fault
ich bin nicht schuld daran it's not my fault
die Schwierigkeit, -en difficulty
die Sensation, -en stir, sensation
die Serie, -n series
die Sicherheit, -en security; safety
die Sicht sight; view
der Sieg, -e victory
der Sinn, -e mind; sense; meaning
die Situation, -en situation
die Sorge, -n care, worry

sich (*dat*) **Sorgen machen** to be worried

die **Sorte, -n** sort, kind

das **Souvenir, -s** souvenir

der **Spalt** crack, opening; split

die **Spalte, -n** column (*of page*)

der **Spaß, ̈e** fun; joke

der **Spektakel** hullaballo

das **Spielzeug, -e** toy

die **Spur, -en** sign, trace

der **Staat, -en** state

der **Standpunkt, -e** point of view, standpoint

die **Stärke, -n** power, strength

die **Stelle, -n** place

die **Steuer, -n** tax

der **Stil, -e** style

die **Stille** quietness

die **Stimmung, -en** mood; atmosphere

die **Strecke, -n** stretch; distance

das **Stück, -e** piece, part

die **Summe, -n** sum

das **System, -e** system

das **Talent, -e** talent

in der Tat in (actual) fact, indeed

die **Tätigkeit, -en** activity

der **Teil, -e, das Teil, -e** part, section

der **Text, -e** text

der **Titel** title

die **Tiefe, -n** depth

der **Traum, ̈e** dream

der **Treffpunkt, -e** meeting place

der **Trost** comfort

die **Trümmer** (*pl*) wreckage; ruins

der **Typ, -en** type

Überlebende(r), -n survivor

die **Überraschung, -en** surprise

die **Umgebung, -en** surroundings (*pl*)

das **Unglück, -e** misfortune; bad luck; disaster

das **Unheil** evil; disaster, misfortune

das **Unrecht: Unrecht haben** to be wrong, be mistaken

die **Unterbrechung, -en** interruption

die **Unterhaltung, -en** conversation, chat

das **Unternehmen** undertaking, enterprise

der **Unterschied, -e** difference

der **Urlaub, -e** holidays, leave

die **Ursache, -n** reason, cause

die **Verabredung, -en** appointment

die **Verbindung, -en** connection

der **Vergleich, -e** comparison

das **Vergnügen** pleasure

der **Versuch, -e** attempt

das **Vertrauen** confidence

die **Vorbereitung, -en** preparation

der Vorschlag, ¨e suggestion
die Vorsicht, -e care, caution
die Vorstellung, -en introduction; idea, thought
der Vorteil, -e advantage
die Wahl, -en choice, selection; election
der Wähler voter
die Wahrheit, -en truth
der Wechselkurs, -e exchange rate
die Weile, -n while
die Weise, -n way, method, manner
auf diese Weise in this way *or* manner
die Weite, -n width; distance
die Werbung, -en advertising
der Wert, -e value
die Wette, -n bet
die Wichtigkeit importance
die Wirklichkeit, -en fact, reality

die Wirkung, -en effect
der Witz, -e joke
der Wohlstand prosperity
das Wort, ¨er *or* **-e** word
der Wunsch, ¨e wish
die Wut rage, fury
die Zahl, -en number, figure
das Zeichen sign
die Zeile, -n line (*of text*)
die Zeitschrift, -en magazine
die Zeitung, -en newspaper
das Zentrum, Zentren centre
das Zeug stuff; gear
das Ziel, -e aim, goal; destination
das Ziffer, -n number, figure
der Zorn anger
die Zutaten (*pl*) ingredients
der Zweck, -e purpose

❏ Prepositions and Conjunctions

aber but; however
als when; as; than
als ob, als wenn as if, as though
also therefore, so
anstatt (+ *gen*) instead of
außer (+ *dat*) out of; except
außerhalb (+ *gen*) outside
bei (+ *dat*) near, by; at the house of
bevor before *(time)*
bis until, till *(conj)*; (+ *acc*) until; (up) to, as far as
da as, since, seeing (that)
damit so that, in order that
dass that
denn for
ehe before
entweder ... oder either ... or
gegenüber (+ *dat*) opposite; to(wards)
gerade als just as
hinter (+ *dat* or *acc*) behind
indem es, while
innerhalb (+ *gen*) in(side), within
je ..., desto the more ... the more
nachdem after
nun (da) now (that)

ob if, whether
obwohl although
oder or
ohne dass without
seit (+ *dat*) since
sobald as soon as
sodass so that
solange as long as
sondern *(after neg)* but
nicht nur ... sondern auch not only ... but also
sowohl ... als (auch) both ... and
statt (+ *gen*) instead of
stattdessen instead
teils ... teils partly ... partly
trotz (+ *gen*) despite, in spite of
und and
während while *(conj)*; (+ *gen*) during *(prep)*
weder ... noch neither ... nor
wegen (+ *gen*) because of
weil because
wenn when; if
wenn ... auch although; even if
wie as, like

❐ Verbs

abhängen von to depend on
abholen to fetch, go and meet (*somebody*)
ablehnen to refuse
abnehmen to lose weight
abschreiben to copy
akzeptieren to accept
anbeten to adore
anbieten to give, offer
anblicken to look (at)
ändern: seine Meinung ändern to change one's mind
anfangen to begin
angeben to state
angehören (+ *dat*) to belong to (*club etc*)
angreifen to attack; to touch
anhalten to stop; to continue
ankommen to arrive
ankündigen to announce
annehmen to accept; to assume
anschalten to switch on
antworten to answer, reply
anzeigen to announce
anziehen to attract; to put (on) (*clothes*)
sich ärgern to get angry
atmen to breathe
aufbewahren to keep, store
aufhängen to hang (up)
aufheben to raise, lift
aufhören to stop
aufkleben to stick on or onto
aufmachen to open
aufpassen (auf + *acc*) to watch; to be careful (of)

aufstehen to get up
aufwachen to wake up (*intransitive*)
aufwärmen to warm (up)
aufwecken to awaken, wake up (*transitive*)
ausdrücken to express
ausführen to carry out, execute
ausgeben to spend (*money*)
ausleihen to borrow
auslöschen to put out, extinguish
ausrufen to exclaim, cry (out)
sich ausruhen to rest
ausschalten to switch off
ausschlafen to have a good sleep
aussprechen to pronounce
ausstrecken to extend, hold out
sich ausstrecken to stretch out
auswählen to select
beabsichtigen to intend
beachten to observe, obey
sich (bei jdm) bedanken to say thank you (to sb)
bedauern to regret
bedecken to cover
bedeuten to mean
bedienen to serve; to operate
sich beeilen to hurry
beenden to finish
befehlen (+ *dat*) to order
sich befinden to be
begegnen (+ *dat*) to meet

beginnen to begin
begreifen to realize
behalten to keep, retain
behaupten to maintain
beherrschen to rule (over)
sich beklagen (über + *acc*) to complain (about)
bekommen to obtain
bemerken to notice
benachrichtigen to inform
benutzen to use
beobachten to watch
berichten to report
(sich) beruhigen to calm down
sich beschäftigen mit to attend to; to be concerned with
beschmutzen to dirty
beschreiben to describe
(be)schützen (vor + *dat*) to protect (from)
sich beschweren (über + *acc*) to complain (about)
besiegen to conquer
besitzen to own, possess
besprechen to discuss
bestehen (aus + *dat*) to consist (of), comprise
bestehen (auf + *dat*) to insist (upon)
bestellen to order
besuchen to attend, be present at, go to, visit
betreten to enter
beunruhigen to worry
(sich) bewegen to move
bewundern to admire
biegen to bend

bieten to offer
binden to tie
bitten to request
bitten um to ask for
bleiben to stay, remain
blicken (auf + *acc*) to glance (at), look (at)
borgen to borrow; **jdm etw borgen** to lend sb sth
brauchen to need
brechen to break
brennen to burn
bringen to bring, take
bummeln to wander; to skive
danken (+ *dat*) to thank
darstellen to represent
dauern to last
decken to cover
denken to think, believe
denken an (+ *acc*) to think of; to remember
denken über (+ *acc*) to think about; to reflect on
deuten (auf + *acc*) to point (to *or* at)
dienen to serve
diskutieren to discuss
drehen to turn; to shoot (*film*)
drucken to print
drücken to press, squeeze
durchführen to accomplish, carry out
durchqueren to cross, pass through
durchsuchen to search
dürfen to be allowed to
eilen to rush, dash
einfallen (+ *dat*) to occur (*to someone*)

einladen to invite
einrichten to establish,
  set up
einschalten to switch on
einschlafen to fall asleep
eintreten to come in
einwickeln to wrap (up)
empfangen to receive
  (*person*)
empfehlen to recommend
entdecken to discover
entführen to take away
enthalten to contain
(sich) entscheiden to decide
sich entschließen to make
  up one's mind
entschuldigen to excuse
sich entschuldigen (für) to
  apologize (for)
enttäuschen to disappoint
(sich) entwickeln to develop
sich ereignen to happen
erfahren to learn; to
  experience; **erfahren von**
  to hear about
erfolgreich successful
ergreifen to seize
erhalten to receive, get
sich erheben to rise
erinnern (an + *acc***)** to
  remind (of)
sich erinnern (an + *acc***)**
  to remember
erkennen to recognize
erklären to state; to explain
sich erkundigen (nach or
  über + *acc***)** to inquire about
erlauben to allow, permit, let
erleben to experience

ermutigen to encourage
erobern to capture
erregen to disturb, excite
erreichen to reach; to catch
  (*train etc*)
errichten to erect
erschaffen to create
erscheinen to appear
erschrecken to frighten
erschüttern to shake, rock,
  stagger
erstaunen to astonish
erwachen to wake up
  (*intransitive*)
erwähnen to mention
erwarten to expect, await,
  wait for
erwidern to retort
erzählen to tell, explain
erziehen to bring up, educate
fallen to fall
fallen lassen to drop
falten to fold
fangen to catch
fassen to grasp; to
  comprehend
fehlen to be missing;
  er fehlt mir I miss him
etw fertigmachen to bring
  sth about; to get sth ready
festbinden to tie, fasten
finden to find
fliehen (vor + *dat,* **aus)**
  to flee (from)
fließen (in + *acc***)** to flow
  (into)
flüstern to whisper
folgen (+ *dat***)** to follow
fordern to demand

fortgehen to go away
fortfahren to depart; to continue
fortsetzen to continue (*transitive*)
fragen to ask
sich fragen to wonder
sich freuen to be glad
führen to lead
füllen to fill
funkeln to sparkle
funktionieren to work (*of machine*)
sich fürchten (vor + *dat*) to be afraid *or* frightened (of)
geben to give
gebrauchen to use
gefallen (+ *dat*) to please; **das gefällt mir** I like that
gehen to go
gehorchen (+ *dat*) to obey
gehören (+ *dat*) to belong (to)
gelingen (+ *dat*) to succeed
gelten to be worth
genießen to enjoy
genügen to be sufficient
gern haben to like
geschehen to happen
gestatten to permit, allow
glauben (+ *dat*) to believe
glauben an (+ *acc*) to believe in
glühen to glow
gründen to establish
gucken to look
haben to have
halten to keep; to stop; to hold

halten für to consider (as)
handeln: es handelt sich um it is a question of
hängen to hang (up)
hassen to hate, loathe
hauen to cut, hew
heben to lift, raise
heimbringen to take home
helfen (+ *dat*) to help
herantreten an (+ *acc*) to approach
herausziehen to pull out
hereinkommen to enter, come in
hereinlassen to admit
herstellen to produce, manufacture
herunterlassen to lower
hineingehen (in + *acc*) to enter, go in (to)
hinlegen to put down
sich hinsetzen to sit down
hinstellen to put down
hinübergehen to go through; to go over
hinweisen to point out
hinweisen auf (+ *acc*) to refer to
hinzufügen to add
hoffen (auf + *acc*) to hope (for)
holen to fetch
horchen to listen
hören to hear
hüten to guard, watch over
interessieren to interest
sich für etw interessieren to be interested in sth
sich irren to be mistaken

kämpfen to fight
kennen to know (*person, place*)
kennen lernen to meet, get to know
klagen to complain
klatschen to gossip
klettern to climb
klingeln to ring
klingen to sound
kochen to cook
kommen to come
können to be able (to)
kriegen to get, obtain
sich kümmern (um) to worry (about)
küssen to kiss
lassen to allow, let; to leave
laufen to run
leben to live
legen to lay
sich legen to lie down
Leid tun (+ *dat*) to feel sorry for
du tust mir Leid I feel sorry for you
es tut mir Leid I'm sorry
leiden to suffer; **ich kann ihn nicht leiden** I can't stand him
leihen to lend; **sich** (*dat*) **etw leihen** to borrow sth
leiten to guide, lead
lesen to read
lieben to love
liefern to deliver; to supply
liegen to be (situated)
loben to praise
löschen to put out
lösen to buy (*ticket*)

losmachen to unfasten undo, untie
loswerden to get rid of
lügen to lie, tell a lie
machen to do; to make
malen to paint
meinen to think, believe
mieten to hire, rent
mitbringen to bring
mitnehmen to take
mitteilen: jdm etw mitteilen to inform sb of sth
mögen to like
murmeln to murmur
müssen to have to (*must*), be obliged to
nachdenken (über + *acc*) to think (about)
nachsehen to check
nähen to sew
sich nähern (+ *dat*) to approach
nehmen to take
nennen to call, name
sich niederlegen to go to bed, lie down
notieren to note
öffnen to open
organisieren to organize
passen (+ *dat*) to suit, be suitable
passieren to happen
pflegen to take care of
plaudern to chat
pressen to press, squeeze
produzieren to produce
programmieren to program
protestieren to protest

prüfen to examine, check
rasieren to shave
raten (+ *dat*) to advise
räumen to clear away
reden to talk, speak
reinigen to clean, tidy up
reisen to go, travel
retten to save, rescue
riechen (nach) to smell (of)
rufen to call
sich rühren to stir
sagen (+ *dat*) to say (to), tell
säubern to clean
saugen to suck
schaden (+ *dat*) to harm
schallen to sound
schauen (auf + *acc*) to look (at)
scheinen to seem; to shine
schieben to push, shove
schießen to shoot
schlafen to sleep
schlafen gehen to go to bed
schlagen to hit, strike, knock, beat
sich schlagen to fight
(sich) schließen to close, shut
schneiden to cut
schnüren to tie
schreiben to write
schreien to shout, cry
schütteln to shake
schützen (vor + *dat*) to protect (from)
schweigen to be silent
schwören to swear
sehen to see
sein to be
senken to lower

setzen to put (down), place, set
sich setzen to settle, sit (down)
seufzen to sigh
singen to sing
sitzen to sit, be sitting
sollen ought (to)
sorgen für to take care of, look after
sich sorgen (um) to worry (about)
sparen to save
spaßen to joke
spazieren gehen to go for a walk
sprechen to speak
stattfinden to take place
stecken to put, stick
stehen to stand
stehen bleiben to stop (*still*)
steigen to come *or* go up, rise; to climb
stellen to put, place; to ask (*a question*)
sterben to die
stimmen to be right
stoppen to stop (*transitive*)
stören to disturb
stoßen to push, shove
strecken to stretch
streiten to argue, fight
sich streiten to quarrel
stürzen to fall, crash
sich stürzen (in *or* **auf** + *acc*) to rush *or* dash (into)
suchen to look for, search for
tanzen to dance
teilen to share, divide

teilnehmen (an + *dat*) to attend, be present at, go to, take part (in)
töten to kill
tragen to carry; to wear
träumen to dream
treffen to meet; to strike (*transitive*)
trennen to separate; to divide
treiben to drive; to go in for
trocknen to dry
tun to do
so tun, als ob to pretend (that)
überlegen to consider, reflect
überraschen to surprise
überreden to persuade
übersetzen to translate
(sich) umdrehen to turn round
umgeben sein von to be surrounded with *or* by
umgehen to avoid, bypass
umkehren to turn
umleiten to divert
umwerfen to overturn, knock over
unterbrechen to interrupt
unterhalten to support
(sich) unterhalten (über + *acc*) to converse *or* talk (about); to entertain
sich unterscheiden to differ, be different
unterschreiben to sign
untersuchen to examine
sich verabreden to make an appointment

verbessern to improve
verbieten to forbid, prohibit
verbinden to connect; to bandage
verbringen to pass *or* spend (*time*)
verdecken to hide, cover up
verderben to spoil, ruin
verdienen to deserve
vereinigen to unite
vergessen to forget
sich verhalten to act, behave
verhindern to prevent
verlangen to demand, order
verlassen to leave
verleihen (an + *acc*) to lend (to)
verletzen to harm
verlieren to lose
es vermeiden, etw zu tun to avoid doing sth
vermieten to let, rent
versäumen to miss
(ver)schließen to lock
verschwinden to disappear, vanish
versehen (mit) to provide
versichern (+ *dat*) to convince, assure
versprechen to promise
(sich) verstecken (vor + *dat*) to hide (from)
verstehen to understand; **was verstehen Sie darunter?** what do you understand by that?
versuchen to try, taste, sample; to attempt to

verteidigen to defend
verteilen to distribute
verzeihen to pardon, forgive
vollenden to finish
vorbereiten to prepare
vorgeben to pretend
vorschlagen to suggest
(sich) vorstellen to introduce (oneself)
sich (dat) etw vorstellen to imagine sth
wachen to be awake
wachsen to grow
wagen to dare
wählen to elect; to choose
warten (auf + acc) to wait (for)
(sich) waschen to wash
wechseln to exchange; to change (money)
wecken to awaken, wake up (transitive)
wegnehmen to take off or away
sich weigern to refuse
weinen to cry
sich wenden an (+ acc) to apply to; to turn (to)
werden to become, grow, turn (out)
werfen to throw
wetten (auf + acc) to bet (on)
wiederholen to repeat
wiedersehen to see again
wischen to wipe
wissen to know
wohnen (in + dat) to live (in)

wohnen (bei + dat) to lodge (with), live (with)
wollen to want (to), wish (to)
sich wundern (über + acc) to wonder (at), be astonished (at or by)
es wundert mich I am surprised (at it)
das würde mich wundern! that would surprise me!
wünschen to wish
zählen to count
zeichnen to draw
zeigen to show, point
zelten to go camping
zerbrechen to break
zerreißen to tear up
zerstören to demolish, destroy
zerstreuen to scatter
ziehen to draw; to pull; to tug
zittern (vor + dat) to tremble (with)
zögern to hesitate
zugeben to confess, admit
zuhören (+ dat) to listen (to)
zumachen to close, shut (transitive)
zunehmen to put on weight
zurückkehren to come back, return
zurückkommen to go or come back
zurücksetzen, zurückstellen to replace
zweifeln to doubt
zwingen to force, oblige

ENGLISH
INDEX

The words on the following pages cover all
of the ESSENTIAL and IMPORTANT NOUNS
in the book.